COLLE

D0286344

TYPO bénéficie du soutien de la Société de développement des entreprises culturelles du Québec (SODEC) pour son programme d'édition.

Gouvernement du Québec – Programme de crédit d'impôt pour l'édition de livres – Gestion SODEC.

Nous reconnaissons l'aide financière du gouvernement du Canada par l'entremise du Fonds du livre du Canada (FLC) pour nos activités d'édition.

Nous remercions le Conseil des arts du Canada de l'aide accordée à notre programme de publication.

L'HOMME RAPAILLÉ

GASTON MIRON

L'homme rapaillé

Poèmes

Préface de Pierre Nepveu

TYPO
Une société de Québecor Média

Éditions TYPO
Groupe Ville-Marie Littérature inc.
Une société de Québecor Média
1010, rue de La Gauchetière Est
Montréal, Québec H2L 2N5
Tél. : 514 523-1182
Téléc. : 514 282-7530
vml@groupevml.com

Vice-président à l'édition : Martin Balthazar
Maquette de couverture: Éric L'Archevêque
Illustration de la couverture: Augusta Caïmmi-Lamoureux

Catalogage avant publication de Bibliothèque et Archives nationales du Québec et
Bibliothèque et Archives Canada

Miron, Gaston, 1928-1996
L'homme rapaillé : poèmes
3e éd., version définitive.
(Typo ; 75. Poésie)
Éd. originale: Montréal : Presses de l'Université de Montréal, 1970.
Publ. à l'origine dans la coll.: Collection du prix de la revue Études françaises.
Comprend des réf. bibliogr.
ISBN 978-2-89295-146-2
I. Titre. II. Collection: Typo ; 75. III. Collection: Typo. Poésie.
PS8526.I68H6 1998   C841'.54   C98-003502-3
PS9526.I68H6 1998

DISTRIBUTEUR
LES MESSAGERIES ADP inc.*
2315, rue de la Province
Longueuil, Québec J4G 1G4
Tél. : 450 640-1237
Téléc. : 450 674-6237
*filiale du Groupe Sogides inc.,
filiale de Québecor Média inc.

Dépôt légal: 1er trimestre 1998
Bibliothèque et Archives nationales du Québec
Bibliothèque et Archives Canada

PRÉFACE

En 1970, peu après la fameuse «Nuit de la poésie» qui avait été une sorte d'apothéose de la poésie québécoise des années soixante, et peu avant la tristement fameuse Crise d'octobre où Gaston Miron allait être arrêté et incarcéré, paraissait L'homme rapaillé. Jamais sans doute dans l'histoire de notre littérature un livre n'avait été aussi attendu et espéré, en même temps qu'on en était venu à se demander s'il paraîtrait jamais. En fait, le livre existait déjà virtuellement, en pièces détachées, en poèmes épars dans des revues, et surtout depuis la parution successive de deux séquences majeures, «La marche à l'amour» en 1962, dans Le Nouveau Journal, et «La vie agonique» en 1963, dans Liberté. Miron se plaignait, dès cette époque, de voir ainsi l'œuvre lui échapper, s'en aller de lui par morceaux au lieu de se présenter comme le tout qu'elle aurait dû être. Mais Miron n'a jamais été l'homme de la publication, et même les poèmes parus en revue ou dans les journaux lui avaient le plus souvent été arrachés. L'homme rapaillé doit en grande partie sa parution moins à une décision ferme de son auteur qu'à la ténacité et à la *volonté de Georges-André Vachon, qui publia finalement le manuscrit dans la collection du Prix de la revue* Études françaises, *à l'Université de Montréal.*

Peut-on concevoir qu'un livre devenu aujourd'hui aussi essentiel ait été à son origine presque un accident? Et qu'une œuvre inachevée et inachevable soit en même temps l'une des plus définitives de la poésie contemporaine? Il me semble qu'on ne peut pas parler de L'homme rapaillé *sans faire référence à cette contradiction profonde qui détermine sa genèse et son devenir. D'un côté en effet, voici par excellence un monument, aussi somptueux qu'incontournable, avec tout ce que cela comporte de valeur symbolique, mais aussi le risque de banalisation et la souffrance inévitable subie par son auteur qui s'y trouve souvent enfermé. De l'autre, voici un livre qui s'est refusé de tout temps à devenir un livre, à trouver sa forme définitive, qui n'a cessé de se modifier et de croître, absorbant au fil des années «Courtepointes», notations et fragments divers.*

Ironie du sort: le poète de l'inachèvement, de «l'irrésolution à se fixer» (l'expression est de Jacques Brault, dans sa conférence de 1966 consacrée à «Miron le magnifique»), l'homme de la non-publication se voit irrémédiablement identifié à un livre unique, irremplaçable, devenu d'ores et déjà un classique. Cette contradiction, elle est d'autant plus riche que certains propos de Miron encore jeune la montraient au cœur de toute son entreprise d'écrivain. «Il y a une certitude dans ma vie: la littérature, ou si tu veux l'écriture, a été accidentelle», écrit Miron à Claude Haeffely en 1960 (voir À bout portant*). Mot troublant, qui questionne en profondeur ce qu'on appelle ordinairement la «volonté» ou la «décision» d'écrire. Beau-*

coup d'écrivains, au Québec ou ailleurs (Michel Beaulieu ou Rilke viennent aussitôt à l'esprit), ont parlé de ce moment parfois solennel, en tout cas définitif, où la décision a été prise de vraiment écrire, de faire une œuvre. À partir de ce choix, l'écriture (et, par conséquent, la littérature) devient essentielle, nécessaire. Faute de quoi il semble qu'elle ne puisse être qu'une suite de divertissements passagers, d'actes contingents sans grande portée.

Il est clair que L'homme rapaillé n'est pas l'œuvre d'un poète du dimanche et que le mot «accidentelle» qualifie la poésie de Miron d'une manière autrement profonde. En fait, ce moment absolu, originaire, de la décision d'écrire a sans doute toujours quelque chose d'un peu mythique, au moins dans le sens (banal, mais bien réel) où cette décision se joue et se rejoue à chaque livre, voire à chaque poème, vidant pour ainsi dire son auteur et le replaçant devant la possibilité de la fin, du «ne-plus-jamais-écrire». Mais il y a davantage, et on pourrait sans doute parler du poète de L'homme rapaillé comme le fait Maurice Blanchot de tel écrivain qui «met toute son énergie à ne pas écrire, pour qu'écrivant, il écrive par défaillance, dans l'intensité de la défaillance».

Défaillir: s'évanouir, tomber dans les pommes, mais aussi, littéralement, manquer à son devoir. L'évanouissement, il se trouve à chaque page de L'homme rapaillé: «la vie toujours à l'orée de l'air / toujours à la ligne de flottaison de la conscience». En vivant le plus douloureusement la perte de l'écriture, jusqu'au dégoût, Miron se trouve à ne plus écrire que dans cette imminence de la perte de conscience et de langage, dans ce moment magnifique et terrible où tout va, une seconde plus tard, disparaître. C'est pourquoi ses poèmes sont presque toujours

9

marqués par un sursaut si caractéristique: il reste peu de chose, la totalité du monde et de soi risque de se dérober, «je n'ai plus que mes yeux de z-yeux / tout ailleurs dans mon corps est ténèbre». Un pas encore, et il n'y aura plus rien, sinon «la détresse à son comble», mais c'est dans l'instant qui précède ce rien que la conscience pure se pose dans sa souveraineté obstinée, têtue, déchirante.

Plutôt que «sursaut», il vaudrait peut-être mieux utiliser le terme que Miron lui-même emploie au dernier vers du «Damned Canuck»: «seulement le ressaut pour dire». Car «ressaut» donne à cette dernière extrémité d'où parle le poète une valeur à la fois sismique et architecturale: là où il défaillit, dans cette fissure ou cette faille, là se produit cette saillie dont on ne saurait dire s'il s'agit vraiment d'une légère élévation ou d'un simple palier. Là, quelque chose en tout cas se construit, on peut s'y agripper, peut-être y mettre le pied comme sur une marche, en espérant qu'on va se maintenir, remonter même, plutôt que descendre.

Mais n'y a-t-il pas quelque scandale à aller plus loin, et à donner à cette défaillance le sens d'un manque au devoir? Il peut paraître insensé de prétendre que le poète du plus haut engagement, et de la plus stricte exigence littéraire (comme en témoignent les infinies corrections et variantes apportées à ses textes), a manqué en même temps à son devoir. Une chose pourtant paraît indéniable: la poésie a toujours été soumise chez Miron à une exigence plus large qui était celle de l'action. Ne-pas-écrire a été chez lui une conséquence de cette primauté accordée à l'intervention concrète dans le réel, que ce soit au sein des groupes d'action sociale, par la création de l'Hexagone ou par le militantisme politique. Tenue *jusqu'au bout, cette orientation aurait pu effectivement détruire le poète Miron, et il est vrai qu'en un sens,* L'homme rapaillé *a tenu à un fil, a été constamment, dans sa genèse même, au bord du désastre.*

Là où tout se renverse et où le rapport entre poésie et action devient davantage intéressant, c'est à partir du moment où ne-pas-écrire devient chez Miron une forme d'action, et cela de deux manières. D'abord, en tant que résistance au système «colonial» en place: cette position est bien connue et elle exercera une profonde influence sur le groupe de la revue Parti pris. *Écrire (ou pire encore:* bien *écrire), ce serait prétendre que tout va bien, que la schizophrénie est vivable. Toutefois, il y a une autre manière de comprendre le geste actif de ne pas écrire: comme une plongée dans le vide intérieur, comme une participation passionnée à la plus extrême pauvreté. Jean Cassou a pu écrire que l'agent du lyrisme de* L'homme rapaillé *était la «difficulté». Il faudrait dire davantage: ce principe actif, c'est le non-être. Seul Saint-Denys Garneau avait précédé Miron dans cette découverte du néant comme principe d'écriture: là où je n'existe pas, ça ne peut pas écrire, et pourtant ça écrit.*

Suprême défaillance, magnifique accident: manquer à sa propre inexistence, écrire que l'on n'est rien et par là devenir quelqu'un, acquérir un nom. Comment ne pas penser à la séquence de «La batèche» qui se termine par ce beau néologisme: «amironner». À force de ne pas écrire, le poète de L'homme rapaillé *en vient ainsi à faire le voyage le plus fou, le plus «abracadabrant»: au tréfonds de son néant, il écrit et parle «de plus loin que moi» et devient par là plus que «moi», une pure présence entêtée, un œil ouvert sur le vide, un nom qui scintille*

11

dans la grande noirceur. «Archaïque Miron», se dira-t-il à lui-même dans un poème des années quatre-vingt: non pas au sens où il serait dépassé (quoi qu'il ait pu penser parfois), mais plutôt au sens où il est toujours déjà là, où il a remonté le fil de l'écriture jusqu'au non-écrire, où il nous a montré à quel extrême de la dépossession il faut retourner pour en venir à parler juste, à dire vrai.

Là est la légende et pas ailleurs: dans ce passage entre «mon nom est personne» et «j'écris Gaston Miron», comme «j'écris arbre», à la manière de Paul-Marie Lapointe, ou «j'écris que l'eau n'est plus l'eau sans les lèvres qui la boivent», à la façon de Roland Giguère. Pure légende en effet: beau scandale de l'écriture qui montre radicalement à quel point il aurait pu ne rien y avoir, et le rien, le personne, le blanc se seraient ainsi perpétués à l'infini du temps et de l'espace, pas même en ces «longs peupliers d'années et d'oubli» qui incarnent certes l'amnésie et la mort, mais pas le néant. La mort existe, le néant n'existe pas. En ce sens, oui, il y a là bel et bien une faute, un accident qui est celui même de la littérature. Mais essentiel, nécessaire dès que survenu, dès que l'écriture a enfin osé faire effraction dans le silence.

❏

L'homme rapaillé parle d'un néant qui n'est déjà plus, d'une pauvreté déjà enrichie de quelques mots, quelques gestes décisifs, si incohérents soient-ils. Le futur antérieur, si caractéristique, est un des signes de cette responsabilité qui a toujours chez Miron la forme d'un paradoxe: parler à la fois au futur et au passé, dire à la fois que cela (la naissance, le paysage, la maison, l'être) est *enfin arrivé et que cela est encore à venir. Témoigner et promettre, souffrir et désirer: l'un n'allant pas sans l'autre. Dans cette fissure, dans ce «ressaut», la poésie parvient à ne pas complètement trahir «la pauvreté natale», les «trous noirs» de l'esprit. La vérité même de son engagement exige qu'elle demeure fidèle, quelque part, au non-écrire. La création n'est pas ici le contraire de la destruction: errer signifie qu'on porte en soi la destruction, qu'on la conserve à la fois comme une mémoire et comme un avenir, pour tout dire: comme une passion.*

  Il est significatif qu'au moment même où il élaborait bon gré mal gré L'homme rapaillé, *dans les années où il écrivait et n'écrivait pas ce livre, Miron se soit reconnu dans la phrase célèbre de F. Scott Fitzgerald:* «Toute vie est bien entendu un processus de démolition.» *Significatif parce qu'il se pourrait que cette tension constante, nécessaire et tuante, entre écrire et ne-pas-écrire, entre écrire et vivre (ou agir) touche ce qu'il y a de plus profondément américain dans l'entreprise de* L'homme rapaillé. *On a beaucoup parlé de la québécité de Miron, mais moins de son américanité. Lui-même, en 1985, après l'obtention du prix Molson, définissait pourtant ainsi son livre:* «Une écriture expansionniste à images et rythmes américains. Une écriture à la Jackson Pollock, de l'action-écriture[1].»

  N'est-il pas curieux de voir ainsi se répondre, par-delà trente années de poésie, Fitzgerald et Pollock? Il n'est évidemment pas question de nier les profondes

---

1. Jean Royer, «Je suis souverain de moi-même», entretien avec Gaston Miron, *Écrivains contemporains, entretiens 4: 1981-1986*, l'Hexagone, 1987.

racines européennes de Miron, mais avoir des racines européennes, seulement des racines, est-ce que cela ne définit justement pas l'Amérique et l'Américain, du nord ou du sud? Miron est américain par son extrême désir de naissance, de commencement, sur fond de mémoire européenne. Mais l'exemple de Fitzgerald indique qu'il l'est davantage encore par l'extrême péril qu'il affronte dans ce désir de naissance. Nulle part ailleurs qu'en Amérique le désir de construction est-il aussi intimement lié à la démolition. Inutile de rappeler à quel point nos villes en sont témoins. Et nulle part ailleurs l'impératif de l'action n'a été aussi fort et n'a rendu plus problématique, plus contingente l'activité d'écrire.

Whitman, au XIXe siècle, définit l'exigence de synthèse entre l'extase et l'action que voudrait et devrait être l'Amérique. Mais les lendemains déchantent et on ne compte plus les poètes du XXe siècle, tels Crane, Lowell, Berryman, Roethke, Ginsberg, qui ont tous comme Miron de profondes racines européennes, et qui vivent l'Amérique sur le mode de la destruction.

La différence, c'est que Miron n'a pas de Whitman (ni de Melville) derrière lui. Et il a beau parler d'images expansionnistes, cela ne saurait, même appliqué à «Compagnon des Amériques», avoir le même sens que pour un Américain. L'Amérique a été réellement expansionniste, ce qui est un mouvement exactement contraire à celui qu'a connu le Canada français jusqu'au Québec actuel. Celui-ci, s'il se souvient de l'Europe, «accompagne» justement l'Amérique. L'extase des grands espaces, le paysage que l'on peut embrasser pour aller jusqu'au bout de soi, tout cela prend avec L'homme rapaillé une autre tournure: espace fracturé, discontinu, paysage qui

14

craque, routes défoncées. On y avance par «à-coups»,
cette expression si typiquement mironnienne, qui évoque
les coups de tête, de poing ou de pioche. L'extase prend
l'allure d'une série de petites morts: ce que l'on a
embrassé, c'est moins la totalité de l'espace qu'une
ombre éphémère, le paysage d'un amour qui est venu et
est reparti. Ici encore, c'est la fissure, la faille qui
domine. Américains, nous défaillons, nous manquons à
l'Amérique, nous sommes à vrai dire, comme d'autres
l'ont déjà suggéré, de mauvais compagnons.

❏

   Est-il nécessaire de s'appesantir sur l'actualité
constante de ce livre? Miron, certes, était devenu dès les
années soixante un personnage, une légende vivante.
Après la parution de L'homme rapaillé, en 1970, il a
obtenu tous les prix imaginables, il a été invité partout, a
donné d'innombrables entrevues où il devait une fois de
plus s'expliquer, et expliquer le Québec. Je l'ai vu éblouir
des Français par la force de son verbe, je l'ai vu tomber
de sa chaise en Irlande, accompagné en cela par John
Montague, un poète de ce pays, parce que la tribune était
trop étroite. Je l'ai vu se relever, indemne, dans un grand
éclat de rire, et captiver ensuite l'assistance par son discours, avec son harmonica, et surtout, par la pure puissance de sa poésie. C'est peut-être finalèment cela qu'il
faut dire: la garantie ultime de l'homme nommé Gaston
Miron, la preuve qu'il détenait à l'appui de ses discours
et de ce qui ressemblait parfois à des pitreries, c'étaient
ses poèmes, ce livre qui a voyagé et qui voyage partout et
dont les accents sonnent toujours juste, parce qu'il

affirme passionnément l'accident merveilleux de la vie, ce sursaut absolument injustifiable sur le plan logique. Tout devrait nous condamner au néant, et pourtant nous sommes, le monde est. Nous sommes, Québécois, humains, un accident nécessaire.

Italo Calvino disait qu'un classique est un livre qu'on a toujours déjà lu, même sans l'avoir lu, et qu'en même temps on lit toujours pour la première fois. Comment ne pas voir que cela s'applique au plus haut point à L'homme rapaillé*: si connu, si «archaïque», et pourtant si neuf. Le miracle, c'est que cela puisse être éprouvé même par des lecteurs ou des auditeurs qui n'ont rien à voir avec ce «pays agonique».* L'homme rapaillé *dit vrai, non seulement au Québec, mais partout: on le reconnaît et on le découvre, simultanément, comme un étonnant compagnon, comme un hasard devenu depuis toujours une nécessité.*

À force de n'avoir pas voulu écrire, à force de n'avoir voulu être personne, Miron est devenu tous et chacun, et le poète accidentel, l'écrivain empêtré, l'homme de toutes les contradictions, a fini par livrer la plus indubitable des affirmations: ce «ressaut» qui tient le coup, ce livre toujours présent qui nous reconduit, chaque fois que nous l'ouvrons, aux sources de l'avenir.

PIERRE NEPVEU

L'homme rapaillé

L'HOMME RAPAILLÉ
Liminaire

Pour Emmanuelle

J'ai fait de plus loin que moi un voyage abracadabrant
il y a longtemps que je ne m'étais pas revu
me voici en moi comme un homme dans une maison
qui s'est faite en son absence
je te salue, silence

je ne suis pas revenu pour revenir
je suis arrivé à ce qui commence

Influences

1. Deux sangs

MER JOURS

Mer jours
et de harpes sans oiseaux

pour de secrètes marées disparues
dans l'anfractuosité des silences
tu retisses à rebours
les souffles à mon cœur capiteux

pour un mystère qui t'ensemence
dans le multiple dense des étreintes
tu auscultes toujours
d'une sonde à l'étoile
ta longue désespérance

MON BEL AMOUR

Mon bel amour navigateur
mains ouvertes sur les songes
tu sais la carte de mon cœur
les jeux qui te prolongent
et la lumière chantée de ton âme

qui ne devine ensemble
tout le silence les yeux poreux
ce qu'il nous faut traverser le pied secret
ce qu'il nous faut écouter
l'oreille comme un coquillage
dans quel pays du son bleu
amour émoi dans l'octave du don

sur la jetée de la nuit
je saurai ma présente
d'un vœu à l'azur ton mystère
déchiré d'un espace rouge-gorge

SOIR TOURMENTE

La pluie bafouille aux vitres
et soudain ça te prend
de courir dans tes pas plus loin
pour fuir la main sur nous

tu perds tes yeux dans les autres
ton corps est une idée fixe
ton âme un caillot au centre du front
ta vie refoule dans son amphore
et tu meurs
tu meurs à petites lampées sous tes semelles

ton sang
ton sang rouge parmi les miroirs brisés

CE CORPS NOUEUX

Ce corps noueux
ce regard brisé
ce visage érodé
ce feu aux cheveux

ces mots dehors

c'est toi, toi et toi
et la blessure
inlassable des rêves
dans tes pas futurs

VÉRITÉ IRRÉDUCTIBLE

Ô ton visage comme un nénuphar flottant
et le temps c'est le chœur des aulnes
à regretter continu sur des rives insensées

ton âme est quelque part
sur les collines de chair oubliée
et le temps c'est mon soulier
à creuser contre le ciel

à vivre mon angoisse poudrait
éclairait l'obscure arête de ma transparence
le temps c'est ton visage à aimer blanc

dans cette ville qui m'a jeté ses mauvais sorts
ton passage dure encore creuset de feu
le temps c'est une ligne droite et mourante
de mon œil à l'inespéré

CHANSON

Cortèges des semaines
les voix qui chantent faux
le jargon de nos peines
les amours mécanos

la jarre est dans l'eau morte
les espoirs verrouillés
les secrets sans escortes
et les corps lézardés

sept jours comme des flûtes
les balcons qui colportent
le front las qui se bute
au seuil muet des portes

sur une grande artère
s'en vont les mains fanées
le soupir des années
et l'orgue de misère…

PETITE SUITE EN LEST

Jadis
enfant
mon poing révolté
a bondi dans l'espace
il a sifflé dans les arcs-en-ciel

aérolithe
l'ai retrouvé ce matin
ne sais plus dans quelle plaine

petite semaine à dent rapace
sept poteaux faire le tour
sept cartes faire jouer
petite semaine pleine de poches de néant
le cœur a des arrêts brusques mais savants

petite vie ma vie
petite vie des minutes pareilles
à la queue leu leu
comme ça de suite
comme une caravane de chenilles de suite
comme des pieux de clôture de suite

petite vie ma vie
enclose en la grand'ville
parmi les pas sur les pavés
roulée dans le courant en rond

grise à éternuer

aujourd'hui debout droit
demain couché brisé
je mourrai d'avoir été le même
je serai une ligne à même la terre
n'ayant plus d'ombre
ô mort
pays possible

de l'index j'ai tracé des lignes
droites obliques ou courbes
(débarrassons-nous des cercles)
sur le sable dans l'argile
dans le ciel sur toutes choses

que savez-vous que je sais
les parcs étendus visités
les avenues connues
les royaumes fondés
avec quel poids au cœur

attente des pans de murs
attente des pans de ciels
attente des yeux tissés de tous les regards

auscultation du temps
patience de l'essentiel

il faut se pencher du haut de l'espace
appuyer sa tempe contre l'espace
et de peur que tout se brouille
déplacer du silence

la lune feuillette dans l'espace

mais à l'orée de la nuit navrée
comme à l'orée du jour
qu'y a-t-il
qui quoi se tient là

CANTIQUE DES HORIZONS
(sur un ton faussement valéryen)

Ne vois-tu pas ma blonde
quelque petit bateau
courir les hautes eaux
les légendes du monde

quelque petit bateau
qui nargue les ondines
dans le vent de matines
sur la ligne des eaux

et que n'as-tu ô chère
la vive déraison
de créer ta vision
d'en humer les chimères

la vive déraison
de tendre ta chair nue
aux lunes inconnues
du seuil de ta vision

ô berceuse ma mie
avec moi t'accordant
dans l'haleine du temps
et d'espace magie

que ne souffres-tu pas
aux souffles des partances
d'échapper loin là-bas
le poids de ta naissance

COROLLE Ô FLEUR
(sur un ton faussement mallarméen)

Corolle ô fleur ton sourire
ouverte échappe des abeilles d'or
reviennent les soirs bruns ivres
Infante des jeux du sort
née la beauté aux arches de tes rives
nos yeux marée sur ton corps
enfante pour eux les perles de vivre

POUR RETROUVER LE MONDE
ET L'AMOUR

Nous partirons de nuit pour l'aube des mystères
et tu ne verras plus les maisons et les terres
et ne sachant plus rien des anciennes rancœurs
des détresses d'hier, des jungles de la peur
tu sauras en chemin tout ce que je te donne
tu seras contre moi celle qui s'abandonne

nous passerons très haut par-dessus les clameurs
et tu ne vivras plus de perfides rumeurs
et loin des profiteurs, des lieux de pestilence
tu entendras parler les mages du silence
alors tu connaîtras la musique à tes pas
et te revêtiront les neiges des sagas

nous ne serons pas seuls à faire le voyage
d'autres nous croiseront parmi les paysages
comme nous, invités de ce jour qui naîtra
nous devrons les chérir d'un amour jamais las
eux aussi, révoltés, vivant dans les savanes
répondront à l'appel secret des caravanes

après le temps passé dans l'étrange et l'austère
on nous accueillera les bras dans la lumière
l'espace ayant livré des paumes du sommeil
la place des matins que nourrit le soleil
ô monde insoupçonné, uni, sans dissidence
te faisant échapper des cris d'incontinence

nouvelle-née, amour, nous n'aurons pas trahi
nous aurons retrouvé les rites d'aujourd'hui
le bonheur à l'affût dans les jours inventaires
notre maison paisible et les toits de nos frères
le passé, le présent, qui ne se voudront plus
les ennemis dressés que nous avons connus

JE T'ÉCRIS

I

Je t'écris pour te dire que je t'aime
que mon cœur qui voyage tous les jours
— le cœur parti dans la dernière neige
le cœur parti dans les yeux qui passent
le cœur parti dans les ciels d'hypnose —
revient le soir comme une bête atteinte

Qu'es-tu devenue toi comme hier
moi j'ai noir éclaté dans la tête
j'ai froid dans la main
j'ai l'ennui comme un disque rengaine
j'ai peur d'aller seul de disparaître demain
sans ta vague à mon corps
sans ta voix de mousse humide
c'est ma vie que j'ai mal et ton absence

Le temps saigne
quand donc aurai-je de tes nouvelles
je t'écris pour te dire que je t'aime
que tout finira dans tes bras amarré
que je t'attends dans la saison de nous deux
qu'un jour mon cœur s'est perdu dans sa peine
que sans toi il ne reviendra plus

II

Quand nous serons couchés côte à côte
dans la crevasse du temps limoneux
nous reviendrons de nuit parler dans les herbes
au moment que grandit le point d'aube
dans les yeux des bêtes découpées dans la brume
tandis que le printemps liseronne aux fenêtres

Pour ce rendez-vous de notre fin du monde
c'est avec toi que je veux chanter
sur le seuil des mémoires les morts d'aujourd'hui
eux qui respirent pour nous
les espaces oubliés

MA DÉSOLÉE SEREINE

Ma désolée sereine
ma barricadée lointaine
ma poésie les yeux brûlés
tous les matins tu te lèves à cinq heures et demie
dans ma ville et les autres
avec nous par la main d'exister
tu es la reconnue de notre lancinance
ma méconnue à la cime
tu nous coules d'un monde à l'autre
toi aussi tu es une amante avec des bras
non n'aie pas peur petite avec nous
nous te protégeons dans nos puretés fangeuses
avec nos corps revendiqués beaux
et t'aime Olivier
l'ami des jours qu'il nous faut espérer
et même après le temps de l'amer
quand tout ne sera que mémento à la lisière des ciels
tu renaîtras toi petite
parmi les cendres
le long des gares nouvelles
dans notre petit destin
ma poésie le cœur heurté
ma poésie de cailloux chahutés

2. Quelque part par ici

TOUT UN CHACUN

Chacun ses pieds
dans ses pas

chacun ses larmes
au large des yeux

chacun sa main
dans l'aumône

dans le trois-mâts
chacun ses rêves

son mal de poudrerie
dans ses désirs

son mal de nébuleuse
dans ses pensées

au repas
chacun sa dent

chacun son cou
dans l'amour

chacun, chacun

chacun ses os
au cimetière

SELF-DÉFENSE

Dru le corps
craquant le cœur
ahan le jour
les poings dedans

je défends ma peau
rien que ça
ma peau de peau

c'est bien assez
il me semble
pour commencer

allez-y voir après

garanti
je bêle à la mort

LE VERRE D'EAU OU L'INACCEPTABLE

Les bourgeons de la soif dans les pores
ce n'est pas l'eau que je bois dans le verre
c'est quelque chose au fil de l'eau
à quoi on pense dans le roule des jours
comme un défoncé enfoncé
toute la sainte face de journée
toute, goutte à goutte
car la soif demeure, panique, tenace
car ni de poids, de place ou d'étendue
ni dedans, ou dehors peut-être
rien de rien n'est changé
j'ai toujours la motte de feu à l'estomac
je refuse à fond de mes deux pieds
sur les freins du temps
comme d'accoutumance chaque fois
une fois les yeux ouverts
et vide le verre

RÉDUCTION

Des heures puis des heures au fil
de mes yeux, aux prises avec eux
sillonnant les terres de personne
les poumons soufflant comme une avenue

la sonde douloureuse est à l'œuvre
quelque part par ici
l'abandon sans frontières, le monde
profond dans la désespérance

je n'ai plus que mes yeux de z-yeux
tout ailleurs dans mon corps est ténèbre
mes yeux de z-yeux
                        en tout et pour tout

les bulletins annoncent
qu'aucune localisation n'est en vue

pourtant je vois ce que je vois

FAIT DIVERS

Il n'a pas fait vieux os
ses os ont blanchi la nuit

il n'avait que sa folie
vous lui avez tiré dessus

il s'est mis à s'tasser
il s'est mis à s'manger
on n'a jamais vu ça
un homme qui se mange
un homme debout qui s'insère
dans la fêlure de sa vie

hors du vivant, vivant
un homme que le monde enferme

il a compté, s'amenuisant
les coups de pied de son sang
s'est vu descendre
le nœud coulant glissait bien

adieu la visite
salut les caves

dispersez-vous
rentrez chez vous

CE MONDE SANS ISSUE

Pleure un peu, pleure ta tête, ta tête de vie
dans le feu des épées de vent dans tes cheveux
parmi les éclats sourds de béton sur tes parois
ta longue et bonne tête de la journée
ta tête de pluie enseignante
et pelures
et callosités
ta tête de mort

et ne pouvant plus me réfugier en Solitude
ni remuer la braise dans le bris du silence
ni ouvrir la paupière ainsi
qu'un départ d'oiseau dans la savane
que je meure ici au cœur de la cible
au cœur des hommes et des horaires
car il n'y a plus un seul endroit
de la chair de solitude qui ne soit meurtri
même les mots que j'invente
ont leur petite aigrette de chair bleuie

souvenirs, souvenirs, maison lente
un cours d'eau me traverse
je sais, c'est la Nord de mon enfance
avec ses mains d'obscure tendresse
qui voletaient sur mes épaules
ses mains de latitudes de plénitude

et mes vingt ans et quelques dérivent
au gré des avenirs mortes, mes nuques
dans le vide

DÉCLARATION

à la dérision

Je suis seul comme le vert des collines au loin
je suis crotté et dégoûtant devant les portes
les yeux crevés comme des œufs pas beaux à voir
et le corps écumant et fétide de souffrance

je n'ai pas eu de chance dans la baraque de vie
je n'ai connu que de faux aveux de biais le pire
je veux abdiquer jusqu'à la corde usée de l'âme
je veux perdre la mémoire à fond d'écrou

l'automne est venu je me souviens presque encore
on a préparé les niches pour les chiens pas vrai
mais à moi, à mon amour, à mon mal gênant
on ouvrit toutes grandes les portes pour dehors

or dans ce monde d'où je ne sortirai bondieu
que pour payer mon dû, et où je suis gigué déjà
fait comme un rat par toutes les raisons de vivre
hommes, chers hommes, je vous remets volontiers

    1 — ma condition d'homme
    2 — je m'étends par terre
    dans ce monde où il semble meilleur
    être chien qu'être homme

LA ROUTE QUE NOUS SUIVONS

À la criée du salut nous voici
armés de désespoir

au nord du monde nous pensions être à l'abri
loin des carnages de peuples
de ces malheurs de partout qui font la chronique
de ces choses ailleurs qui n'arrivent qu'aux autres
incrédules là même de notre perte
et tenant pour une grâce notre condition

soudain contre l'air égratigné de mouches à feu
je fus debout dans le noir du Bouclier
droit à l'écoute comme fil à plomb à la ronde
nous ne serons jamais plus des hommes
si nos yeux se vident de leur mémoire

beau désaccord ma vie qui fonde la controverse
je ne récite plus mes leçons de deux mille ans
je me promène je hèle et je cours
cloche-alerte mêlée au paradis obsessionnel
tous les liserons des désirs fleurissent
dans mon sang tourne-vents
venez tous ceux qui oscillent à l'ancre des soirs
levons nos visages de terre cuite et nos mains
de cuir repoussé burinés d'histoire et de travaux

nous avançons nous avançons le front comme un delta

«*Good-bye farewell!*»
nous reviendrons nous aurons à dos le passé
et à force d'avoir pris en haine toutes les servitudes
nous serons devenus des bêtes féroces de l'espoir

La marche à l'amour
fragments

JEUNE FILLE

Jeune fille plus belle que toutes nos légendes
de retour à la maison que protègent les mères
secrète et enjouée parmi les êtres de l'été
elle aimait bien celui qui cache son visage

sur mon corps il ne reste que bruine d'amour
au loin les songes se rassemblent à sa taille
pour les bouquets d'eau de ses yeux trop beaux
les yeux qu'elle a lui font trop mal à l'âme

jeune fille plus perdue que toute la neige
les ans s'encordent sur mes longueurs de solitude
et toujours à l'orée de ta distance lointaine
tes mille essaims de sourires encore m'escortent

j'en parle à cause d'un village de montagnes
d'où s'envolent des rubans de route fragiles
toi et moi nous y fûmes plusieurs fois la vie
avec les bonheurs qui d'habitude arrivent

je parle de ces choses qui nous furent volées
mais les voudra la mort plus que l'ombre légère
nous serons tous deux allongés comme un couple
enfin heureux dans la mémoire de mes poèmes

PLUS BELLE QUE LES LARMES

Jeune fille plus belle que les larmes
qui ont coulé plus qu'averses d'avril
beaux yeux aux ondes de martin-pêcheur
où passaient les longs-courriers de mes désirs
mémoire, ô colombe dans l'espace du cœur
mes mains sont au fuseau des songes éteints
je me souviens de sa hanche de navire
je me souviens de ses épis de frissons
et sur mes fêtes et mes désastres
je te salue toi la plus belle
et je chante

LA MARCHE À L'AMOUR

Tu as les yeux pers des champs de rosées
tu as des yeux d'aventure et d'années-lumière
la douceur du fond des brises au mois de mai
dans les accompagnements de ma vie en friche
avec cette chaleur d'oiseau à ton corps craintif
moi qui suis charpente et beaucoup de fardoches
moi je fonce à vive allure et entêté d'avenir
la tête en bas comme un bison dans son destin
la blancheur des nénuphars s'élève jusqu'à ton cou
pour la conjuration de mes manitous maléfiques
moi qui ai des yeux où ciel et mer s'influencent
pour la réverbération de ta mort lointaine
avec cette tache errante de chevreuil que tu as

tu viendras tout ensoleillée d'existence
la bouche envahie par la fraîcheur des herbes
le corps mûri par les jardins oubliés
où tes seins sont devenus des envoûtements
tu te lèves, tu es l'aube dans mes bras
où tu changes comme les saisons
je te prendrai marcheur d'un pays d'haleine
à bout de misères et à bout de démesures
je veux te faire aimer la vie notre vie
t'aimer fou de racines à feuilles et grave
de jour en jour à travers nuits et gués
de moellons nos vertus silencieuses

je finirai bien par te rencontrer quelque part
bon dieu!
et contre tout ce qui me rend absent et douloureux
par le mince regard qui me reste au fond du froid
j'affirme ô mon amour que tu existes
je corrige notre vie

nous n'irons plus mourir de langueur
à des milles de distance dans nos rêves bourrasques
des filets de sang dans la soif craquelée de nos lèvres
les épaules baignées de vols de mouettes
non
j'irai te chercher nous vivrons sur la terre
la détresse n'est pas incurable qui fait de moi
une épave de dérision, un ballon d'indécence
un pitre aux larmes d'étincelles et de lésions
        profondes
frappe l'air et le feu de mes soifs
coule-moi dans tes mains de ciel de soie
la tête la première pour ne plus revenir
si ce n'est pour remonter debout à ton flanc
nouveau venu de l'amour du monde
constelle-moi de ton corps de voie lactée
même si j'ai fait de ma vie dans un plongeon
une sorte de marais, une espèce de rage noire
si je fus cabotin, concasseur de désespoir
j'ai quand même idée farouche
de t'aimer pour ta pureté
de t'aimer pour une tendresse que je n'ai pas connue

dans les giboulées d'étoiles de mon ciel
l'éclair s'épanouit dans ma chair
je passe les poings durs au vent
j'ai un cœur de mille chevaux-vapeur
j'ai un cœur comme la flamme d'une chandelle
toi tu as la tête d'abîme douce n'est-ce pas
la nuit de saule dans tes cheveux
un visage enneigé de hasards et de fruits
un regard entretenu de sources cachées
et mille chants d'insectes dans tes veines
et mille pluies de pétales dans tes caresses

tu es mon amour
ma clameur mon bramement
tu es mon amour ma ceinture fléchée d'univers
ma danse carrée des quatre coins d'horizon
le rouet des écheveaux de mon espoir
tu es ma réconciliation batailleuse
mon murmure de jours à mes cils d'abeille
mon eau bleue de fenêtre
dans les hauts vols de buildings
mon amour
de fontaines de haies de ronds-points de fleurs
tu es ma chance ouverte et mon encerclement
à cause de toi
mon courage est un sapin toujours vert
et j'ai du chiendent d'achigan plein l'âme
tu es belle de tout l'avenir épargné
d'une frêle beauté soleilleuse contre l'ombre
ouvre-moi tes bras que j'entre au port
et mon corps d'amoureux viendra rouler

sur les talus du mont Royal
orignal, quand tu brames orignal
coule-moi dans ta palinte osseuse
fais-moi passer tout cabré tout empanaché
dans ton appel et ta détermination

Montréal est grand comme un désordre universel
tu es assise quelque part avec l'ombre et ton cœur
ton regard vient luire sur le sommeil des colombes
fille dont le visage est ma route aux réverbères
quand je plonge dans les nuits de sources
si jamais je te rencontre fille
après les femmes de la soif glacée
je pleurerai te consolerai
de tes jours sans pluies et sans quenouilles
des circonstances de l'amour dénoué
j'allumerai chez toi les phares de la douceur
nous nous reposerons dans la lumière
de toutes les mers en fleurs de manne
puis je jetterai dans ton corps le vent de mon sang
tu seras heureuse fille heureuse
d'être la femme que tu es dans mes bras
le monde entier sera changé en toi et moi

la marche à l'amour s'ébruite en un vollier
de pas voletant par les lacs de portage
mes absolus poings
ah violence de délices et d'aval

j'aime
     que j'aime
          que tu t'avances
               ma ravie
frileuse aux pieds nus sur les frimas de l'aube
par ce temps profus d'épilobes en beauté
sur ces grèves où l'été
pleuvent en longues flammèches les cris des pluviers
harmonica du monde lorsque tu passes et cèdes
ton corps tiède de pruche à mes bras pagayeurs
lorsque nous gisons fleurant la lumière incendiée
et qu'en tangage de moisson ourlée de brises
je me déploie sur ta fraîche chaleur de cigale
je roule en toi
tous les saguenays d'eau noire de ma vie
je fais naître en toi
les frénésies de frayères au fond du cœur d'outaouais
puis le cri de l'engoulevent vient s'abattre dans ta
       gorge
terre meuble de l'amour ton corps
se soulève en tiges pêle-mêle
je suis au centre du monde tel qu'il gronde en moi
avec la rumeur de mon âme dans tous les coins
je vais jusqu'au bout des comètes de mon sang
haletant
       harcelé de néant
            et dynamité
de petites apocalypses
les deux mains dans les furies dans les féeries
ô mains
ô poings
comme des cogneurs de folles tendresses

mais que tu m'aimes et si tu m'aimes
s'exhalera le froid natal de mes poumons
le sang tournera ô grand cirque
je sais que tout amour
sera retourné comme un jardin détruit
qu'importe je serai toujours si je suis seul
cet homme de lisière à bramer ton nom
éperdument malheureux parmi les pluies de trèfles
mon amour ô ma plainte
de merle-chat dans la nuit buissonneuse
ô fou feu froid de la neige
beau sexe léger ô ma neige
mon amour d'éclairs lapidée
morte
dans le froid des plus lointaines flammes

puis les années m'emportent sens dessus dessous
je m'en vais en délabre au bout de mon rouleau
des voix murmurent les récits de ton domaine
à part moi je me parle
que vais-je devenir dans ma force fracassée
ma force noire du bout de mes montagnes
pour te voir à jamais je déporte mon regard
je me tiens aux écoutes des sirènes
dans la longue nuit effilée du clocher de
        Saint-Jacques
et parmi ces bouts de temps qui halètent
me voici de nouveau campé dans ta légende
tes grands yeux qui voient beaucoup de cortèges
les chevaux de bois de tes rires
tes yeux de paille et d'or

seront toujours au fond de mon cœur
et ils traverseront les siècles

je marche à toi, je titube à toi, je meurs de toi
lentement je m'affale de tout mon long dans l'âme
je marche à toi, je titube à toi, je bois
à la gourde vide du sens de la vie
à ces pas semés dans les rues sans nord ni sud
à ces taloches de vent sans queue et sans tête
je n'ai plus de visage pour l'amour
je n'ai plus de visage pour rien de rien
parfois je m'assois par pitié de moi
j'ouvre mes bras à la croix des sommeils
mon corps est un dernier réseau de tics amoureux
avec à mes doigts les ficelles des souvenirs perdus
je n'attends pas à demain je t'attends
je n'attends pas la fin du monde je t'attends
dégagé de la fausse auréole de ma vie

POÈME DE SÉPARATION 1

Comme aujourd'hui quand me quitte cette fille
chaque fois j'ai saigné dur à n'en pas tarir
par les sources et les nœuds qui m'enchevêtrent
je ne suis plus qu'un homme descendu à sa boue
chagrins et pluies couronnent ma tête hagarde
et tandis que l'oiseau s'émiette dans la pierre
les fleurs avancées du monde agonisent de froid
et le fleuve remonte seul debout dans ses vents

je me creusais un sillon aux larges épaules
au bout son visage montait comme l'horizon
maintenant je suis pioché d'un mal d'épieu
christ pareil à tous les christs de par le monde
couchés dans les rafales lucides de leur amour
qui seul amour change la face de l'homme
qui seul amour prend hauteur d'éternité
sur la mort blanche des destins bien en cible

je t'aime et je n'ai plus que les lèvres
pour te le dire dans mon ramas de ténèbres
le reste est mon corps igné ma douleur cymbale
nuit basalte de mon sang et mon cœur derrick
je cahote dans mes veines de carcasse et de boucane

la souffrance a les yeux vides du fer-blanc
elle ravage en dessous feu de terre noire
la souffrance la pas belle et qui déforme
est dans l'âme un essaim de la mort de l'âme

Ma Rose Stellaire Rose Bouée Rose Ma
Rose Éternité
ma caille de tendresse mon allant d'espérance
mon premier amour aux seins de pommiers en fleurs
dans la chaleur de midi violente

POÈME DE SÉPARATION 2

Tu fus quelques nuits d'amour en mes bras
et beaucoup de vertige, beaucoup d'insurrection
même après tant d'années de mer entre nous
à chaque aube il est dur de ne plus t'aimer

parfois dans la foule surgit l'éclair d'un visage
blanc comme fut naguère le tien dans ma tourmente
autour de moi l'air est plein de trous bourdonnant
peut-être qu'ailleurs passent sur ta chair désolée
pareillement des éboulis de bruits vides
et fleurissent les mêmes brûlures éblouissantes

si j'ai ma part d'incohérence, il n'empêche
que par moments ton absence fait rage
qu'à travers cette absence je me désoleille
par mauvaise affliction et sale vue malade
j'ai un corps en mottes de braise où griffe
un mal fluide de glace vive en ma substance

ces temps difficiles malmènent nos consciences
et le monde file un mauvais coton, et moi
tel le bec du pivert sur l'écorce des arbres
de déraison en désespoir mon cœur s'acharne
et comme lui, mitraillette, il martèle

ta lumière n'a pas fini de m'atteindre
ce jour-là, ma nouvellement oubliée
je reprendrai haut bord et destin de poursuivre
en une femme aimée pour elle à cause de toi

AVEC TOI

I

Je voudrais t'aimer comme tu m'aimes, d'une
seule coulée d'être ainsi qu'il serait beau
dans cet univers à la grande promesse de Sphinx
mais voici la poésie, les camarades, la lutte
voici le système précis qui écrase les nôtres
et je ne sais plus, je ne sais plus t'aimer
comme il le faudrait ainsi qu'il serait bon
ce que je veux te dire, je dis que je t'aime

l'effroi s'emmêle à l'eau qui ourle tes yeux
le dernier cri de ta détresse vrille à ma tempe
(nous vivons loin l'un de l'autre à cause de moi
plus démuni que pauvreté d'antan) (et militant)
ceux qui s'aimeront agrandis hors de nos limites
qu'ils pensent à nous, à ceux d'avant et d'après
(mais pas de remerciements, pas de pitié, par
amour), pour l'amour, seulement de temps en temps
à l'amour et aux hommes qui en furent éloignés

ce que je veux te dire, nous sommes ensemble
la flûte de tes passages, le son de ton être
ton être ainsi que frisson d'air dans l'hiver
il est ensemble au mien comme désir et chaleur

II

Je suis un homme simple avec des mots qui peinent
et je ne sais pas écrire en poète éblouissant
je suis tué (cent fois je fus tué), un tué rebelle
et j'ahane à me traîner pour aller plus loin
déchéance est ma parabole depuis des suites de pères
je tombe et tombe et m'agrippe encore
je me relève et je sais que je t'aime

je sais que d'autres hommes forceront un peu plus
la transgression, des hommes qui nous ressemblent
qui vivront dans la vigilance notre dignité réalisée
c'est en eux dans l'avenir que je m'attends
que je me dresse sans qu'ils le sachent, avec toi

UNE FIN COMME UNE AUTRE
(ou une mort en poésie…)

Si tu savais comme je lutte de tout mon souffle
contre la malédiction de bâtiments qui craquent
telles ces forces de naufrage qui me hantent
tel ce goût de l'être à se défaire que je crache

et quoi dire que j'endure dans toute ma charpente
ces années vides de la chaleur d'un autre corps
je ne pourrai pas toujours, l'air que je respire
est trop rare sans toi, un jour je ne pourrai plus

ce jour sera la mort d'un homme de courage inutile
venue avec un froid dur de cristaux dans ses
      membres
mon amour, est-ce moi plus loin que toute la neige
enlisé dans la faim, givré, yeux ouverts et brûlés

La batèche
fragments

LE DAMNED CANUCK

Nous sommes nombreux silencieux raboteux rabotés
dans les brouillards de chagrin crus
à la peine à piquer du nez dans la souche des misères
un feu de mangeoire aux tripes
et la tête bon dieu, nous la tête
un peu perdue pour reprendre nos deux mains
ô nous pris de gel et d'extrême lassitude

la vie se consume dans la fatigue sans issue
la vie en sourdine et qui aime sa complainte
aux yeux d'angoisse travestie de confiance naïve
à la rétine d'eau pure dans la montagne natale
la vie toujours à l'orée de l'air
toujours à la ligne de flottaison de la conscience
au monde la poignée de porte arrachée

ah sonnez crevez sonnailles de vos entrailles
riez et sabrez à la coupe de vos privilèges
grands hommes, classe écran, qui avez fait de moi
le sous-homme, la grimace souffrante du cro-magnon
l'homme du cheap way, l'homme du cheap work
le damned Canuck

seulement les genoux seulement le ressaut pour dire

SÉQUENCES

Parmi les hommes dépareillés de ces temps
je marche à grands coups de tête à fusée chercheuse
avec de pleins moulins de bras sémaphore
du vide de tambour dans les jambes
et le corps emmanché d'un mal de démanche
reçois-moi orphelin bel amour de quelqu'un
monde miroir de l'inconnu qui m'habite
je traverse des jours de miettes de pain
la nuit couleur de vin dans les caves
je traverse le cercle de l'ennui perroquet
dans la ville il fait les yeux des chiens malades

La batèche ma mère c'est notre vie de vie
batèche au cœur fier à tout rompre
batèche à la main inusable
batèche à la tête de braconnage dans nos montagnes
batèche de mon grand-père dans le noir analphabète
batèche de mon père rongé de veilles
batèche de moi dans mes yeux d'enfant

Les bulles du délire les couleurs débraillées
le mutisme des bêtes dans les nœuds du bois
du chiendent d'histoire depuis deux siècles
et me voici
sortant des craques des fentes des soupiraux

ma face de suaire quitte ses traits inertes
je me dresse dans l'appel d'une mémoire osseuse
j'ai mal à la mémoire car je n'ai pas de mémoire
dans la pâleur de vivre et la moire des neiges
je radote à l'envers je chambranle dans les portes
je fais peur avec ma voix les moignons de ma voix

Damned Canuck de damned Canuck de pea soup
sainte bénite de sainte bénite de batèche
sainte bénite de vie maganée de batèche
belle grégousse de vieille réguine de batèche

Suis-je ici
ou ailleurs ou autrefois dans mon village
je marche sur des étendues de pays voilés
m'écrit Olivier Marchand
alors que moi d'une brunante à l'autre
je farouche de bord en bord
je barouette et fardoche et barouche
je vais plus loin que loin que mon haleine
je vais plus loin que la fin de l'éboulement
soudain j'apparais dans une rue au nom d'apôtre
je ne veux pas me laisser enfermer
dans les gagnages du poème, piégé fou raide
mais que le poème soit le chemin des hommes
et du peu qu'il nous reste d'être fiers
laissez-moi donner la main à l'homme de peine
et amironner

Les lointains soleils carillonneurs du Haut-Abitibi
s'éloignent emmêlés d'érosions
avec un ciel de ouananiche et de fin d'automne
ô loups des forêts de Grand-Remous
votre ronde pareille à ma folie
parmi les tendres bouleaux que la lune dénonce
dans la nuit semée de montagnes en éclats
de sol tracté d'éloignement
j'erre sous la pluie soudaine et qui voyage
la vie tiraillée qui grince dans les girouettes
homme croa-croa
toujours à renaître de ses clameurs découragées
sur cette maigre terre qui s'espace
les familles se désâment
et dans la douleur de nos dépossessions
temps bêcheur temps tellurique
j'en appelle aux arquebuses de l'aube
de toute ma force en bois debout

Cré bataclan des misères batèche
cré maudit raque de destine batèche
raque des amanchures des parlures et des sacrures
moi le raqué de partout batèche
nous les raqués de l'histoire batèche

Vous pouvez me bâillonner, m'enfermer
je crache sur votre argent en chien de fusil
sur vos polices et vos lois d'exception
je vous réponds non

je vous réponds, je recommence
je vous garroche mes volées de copeaux de haine
de désirs homicides
je vous magane, je vous use, je vous rends fous
je vous fais honte
vous ne m'aurez pas vous devrez m'abattre
avec ma tête de tocson, de nœud de bois, de souche
ma tête de semailles nouvelles
j'ai endurance, j'ai couenne et peau de babiche
mon grand sexe claque
je me désinvestis de vous, je vous échappe
les sommeils bougent, ma poitrine résonne

j'ai retrouvé l'avenir

La vie agonique

En mon pays suis en terre lointaine
FRANÇOIS VILLON

En étrange pays dans mon pays lui-même
LOUIS ARAGON

L'HOMME AGONIQUE

Jamais je n'ai fermé les yeux
malgré les vertiges sucrés des euphories
même quand mes yeux sentaient le roussi
ou en butte aux rafales montantes des chagrins

Car je trempe jusqu'à la moelle des os
jusqu'aux états d'osmose incandescents
dans la plus noire transparence de nos sommeils

Tapi au fond de moi tel le fin renard
alors je me résorbe en jeux, je mime et parade
ma vérité, le mal d'amour, et douleurs et joies

Et je m'écris sous la loi d'émeute
je veux saigner sur vous par toute l'affection
j'écris, j'écris, à faire un fou de moi
à me faire le fou du roi de chacun
volontaire aux enchères de la dérision
mon rire en volées de grelots par vos têtes
en chavirées de pluie dans vos jambes

Mais je ne peux me déprendre du conglomérat
je suis le rouge-gorge de la forge
le mégot de survie, l'homme agonique

Un jour de grande détresse à son comble
je franchirai les tonnerres des désespoirs
je déposerai ma tête exsangue sur un meuble
ma tête grenade et déflagration
sans plus de vue je continuerai, j'irai
vers ma mort peuplée de rumeurs et d'éboulis
je retrouverai ma nue propriété

HÉRITAGE DE LA TRISTESSE

Il est triste et pêle-mêle dans les étoiles tombées
livide, muet, nulle part et effaré, vaste fantôme
il est ce pays seul avec lui-même et neiges et rocs
un pays que jamais ne rejoint le soleil natal
en lui beau corps s'enfouit un sommeil désaltérant
pareil à l'eau dans la soif vacante des graviers

je le vois à la bride des hasards, des lendemains
il affleure dans les songes des hommes de peine
quand il respire en vagues de sous-bois et de fougères
quand il brûle en longs peupliers d'années et d'oubli
l'inutile chlorophylle de son amour sans destin
quand gît à son cœur de misaine un désir d'être

il attend, prostré, il ne sait plus quelle rédemption
parmi les paysages qui marchent en son immobilité
parmi ses haillons de silence aux iris de mourant
il a toujours ce sourire échoué du pauvre avenir avili
il est toujours à sabrer avec les pagaies de l'ombre
l'horizon devant lui recule en avalanches de promesses

démuni, il ne connaît qu'un espoir de terrain vague
qu'un froid de jonc parlant avec le froid de ses os
le malaise de la rouille, l'à-vif, les nerfs, le nu
dans son large dos pâle les coups de couteaux cuits
il vous regarde, exploité, du fond de ses carrières
et par à travers les tunnels de son absence, un jour
n'en pouvant plus y perd à jamais la mémoire d'homme

les vents qui changez les sorts de place la nuit
vents de rendez-vous, vents aux prunelles solaires
vents telluriques, vents de l'âme, vents universels
vents ameutez-le, et de vos bras de fleuve ensemble
enserrez son visage de peuple abîmé, redonnez-lui
la chaleur

       et la profuse lumière des sillages d'hirondelles

POUR MON RAPATRIEMENT

Homme aux labours des brûlés de l'exil
selon ton amour aux mains pleines de rudes conquêtes
selon ton regard arc-en-ciel arc-bouté dans les vents
en vue de villes et d'une terre qui te soient natales

je n'ai jamais voyagé
vers autre pays que toi mon pays

un jour j'aurai dit oui à ma naissance
j'aurai du froment dans les yeux
je m'avancerai sur ton sol, ému, ébloui
par la pureté de bête que soulève la neige

un homme reviendra
d'en dehors du monde

LES SIÈCLES DE L'HIVER

Le gris, l'agacé, le brun, le farouche
tu craques dans la beauté fantôme du froid
dans les marées de bouleaux, les confréries
d'épinettes, de sapins et autres compères
parmi les rocs occultes et parmi l'hostilité

pays chauve d'ancêtres, pays
tu déferles sur des milles de patience à bout
en une campagne affolée de désolement
en des villes où ta maigreur calcine ton visage
nous nos amours vidées de leurs meubles
nous comme empesés d'humiliation et de mort

et tu ne peux rien dans l'abondance captive
et tu frissonnes à petit feu dans notre dos

ET L'AMOUR MÊME EST ATTEINT

Dans l'envol d'un espace baigné d'eaux médiantes
sur cette terre de la nostalgie rauque et basse
recouverte et découverte par l'aile des saisons
mes yeux sont ancrés dans le sort du monde
mon amour je te cherche dans l'aboli toi
ô solitude de trille blanc dans le mai des bois
je veux te posséder en même temps que ma vie
mes gestes
sont pleins de blessures mes pleins poignets
de compassion

je pioche mon destin de long en large
dans l'insolence et la patience et les lentes
            interrogations giratoires
le dû d'un homme de l'amour de rien ô dérision

toi, quels yeux as-tu dans les feuillages
de bulles de hublots de pépites
es-tu geai bleu ou jaseur des cèdres
quel cœur effaré de chevreuse dans sa fuite

si c'est ton visage au loin posé comme un phare
me voici avec mon sang de falaise et d'oriflammes
de toutes mes lèvres venteuses sur les terres
de toute la force échevelée de mes errances
déjà le monde tourne sur ses gonds
la porte tournera sur ses fables

et j'entends ton rire de bijoux consumés
dans le lit où déferlent les printemps du plaisir

il y aura toi et moi, et le cœur unanime
je serai enfin dévêtu de ma fatigue

LA BRAISE ET L'HUMUS

Rien n'est changé de mon destin ma mère mes
        camarades
le chagrin luit toujours d'une mouche à feu à l'autre
je suis taché de mon amour comme on est taché de sang
mon amour mon errance mes murs à perpétuité

un goût d'années d'humus aborde à mes lèvres
je suis malheureux plein ma carrure, je saccage
la rage que je suis, l'amertume que je suis
avec ce bœuf de douleurs qui souffle dans mes côtes

c'est moi maintenant mes yeux gris dans la braise
c'est mon cœur obus dans les champs de tourmente
c'est ma langue dans les étapes des nuits de ruche
c'est moi cet homme au galop d'âme et de poitrine

je vais mourir comme je n'ai pas voulu finir
mourir seul comme les eaux mortes au loin
dans les têtes flambées de ma tête, à la bouche
les mots corbeaux de poèmes qui croassent
je vais mourir vivant dans notre empois de mort

MONOLOGUES
DE L'ALIÉNATION DÉLIRANTE

Le plus souvent ne sachant où je suis ni pourquoi
je me parle à voix basse voyageuse
et d'autres fois en phrases détachées (ainsi
que se meut chacune de nos vies)
puis je déparle à voix haute dans les haut-parleurs
crevant les cauchemars, et d'autres fois encore
déambulant dans un orbe calfeutré, les larmes
poussent comme de l'herbe dans mes yeux
j'entends de loin: de l'enfance, ou du futur
les eaux vives de la peine lente dans les lilas
je suis ici à rétrécir dans mes épaules
je suis là immobile et ridé de vent

le plus souvent ne sachant où je suis ni comment
je voudrais m'étendre avec tous et comme eux
corps farouche abattu avec des centaines d'autres
me morfondre pour un sort meilleur en
      marmonnant
en trompant l'attente héréditaire et misérable
je voudrais m'enfoncer dans la nord nuit de métal
enfin me perdre évanescent, me perdre
dans la fascination de l'hébétude multiple
pour oublier la lampe docile des insomnies
à l'horizon intermittent de l'existence d'ici

or je suis dans la ville opulente
la grande St. Catherine Street galope et claque
dans les Mille et une nuits des néons
moi je gis, muré dans la boîte crânienne
dépoétisé dans ma langue et mon appartenance
déphasé et décentré dans ma coïncidence
ravageur je fouille ma mémoire et mes chairs
jusqu'en les maladies de la tourbe et de l'être
pour trouver la trace de mes signes arrachés emportés
pour reconnaître mon cri dans l'opacité du réel

or je descends vers les quartiers minables
bas et respirant dans leur remugle
je dérive dans des bouts de rues décousus
voici ma vraie vie — dressée comme un hangar —
débarras de l'Histoire — je la revendique
je refuse un salut personnel et transfuge
je m'identifie depuis ma condition d'humilié
je le jure sur l'obscure respiration commune
je veux que les hommes sachent que nous savons

le délire grêle dans les espaces de ma tête
claytonies petites blanches claytonies de mai
pourquoi vous au fond de la folie mouvante
feux rouges les hagards tournesols de la nuit
je marche avec un cœur de patte saignante

c'est l'aube avec ses pétillements de branches
par-devers l'opaque et mes ignorances

je suis signalé d'aubépines et d'épiphanies
poésie mon bivouac
ma douce svelte et fraîche révélation de l'être
tu sonnes aussi sur les routes où je suis retrouvé
avançant mon corps avec des pans de courage
avançant mon cou au travers de ma soif
par l'haleine et le fer
et la vaillante volonté des larmes

salut de même humanité des hommes lointains
malgré vous malgré nous je m'entête à exister
salut à la saumure d'homme

à partir de la blanche agonie de père en fils
à la consigne de la chair et des âmes
à tous je me lie
jusqu'à l'état de détritus s'il le faut
dans la résistance
à l'amère décomposition viscérale et ethnique
de la mort des peuples drainés
où la mort n'est même plus la mort de quelqu'un

LES ANNÉES DE DÉRÉLICTION
recours didactique

La noirceur d'ici qui gêne le soleil lui-même
me pénètre, invisible comme l'idiotie teigneuse
chaque jour dans ma vie reproduit le précédent
et je succombe sans jamais mourir tout à fait

celui qui n'a rien comme moi, comme plusieurs
marche depuis sa naissance, marche à l'errance
avec tout ce qui déraille et tout ce qui déboussole
dans son vague cerveau que l'agression embrume

comment me retrouver labyrinthe ô mes yeux
je marche dans mon manque de mots et de pensée
hors du cercle de ma conscience, hors de portée
père, mère, je n'ai plus mes yeux de fil en aiguille

puisque je suis perdu, comme beaucoup des miens
que je ne peux parler autrement qu'entre nous
ma langue pareille à nos désarrois et nos détresses
et bientôt pareille à la fosse commune de tous

puisque j'ai perdu, comme la plupart autour
perdu la mémoire à force de misère et d'usure
perdu la dignité à force de devoir me rabaisser
et le respect de moi-même à force de dérision

puisque je suis devenu, comme un grand nombre
une engeance qui tant s'éreinte et tant s'esquinte
à retrouver son nom, sa place et son lendemain
et jusqu'à s'autodétruire en sa légitimité même

terre, terre, tu bois avec nous, terre comme nous
qui échappes à toute prégnance nôtre et aimante
tu bois les millénaires de la neige par désespoir
avec comme nous une fixité hagarde et discontinue

cependant que la beauté aurifère du froid
t'auréole et comme nous dans la mort te sertit

je vais, parmi des avalanches de fantômes
je suis mon hors-de-moi et mon envers
nous sommes cernés par les hululements proches
des déraisons, des maléfices et des homicides

je vais, quelques-uns sont toujours réels
lucides comme la grande aile brûlante de l'horizon
faisant sonner leur amour tocsin dans le malheur
une souffrance concrète, une interrogation totale

poème, mon regard, j'ai tenté que tu existes
luttant contre mon irréalité dans ce monde
nous voici ballottés dans un destin en dérive
nous agrippant à nos signes méconnaissables

notre visage disparu, s'effaceront tes images
mais il me semble entrevoir qui font surface
une histoire et un temps qui seront nôtres
comme après le rêve quand le rêve est réalité

et j'élève une voix parmi des voix contraires
sommes-nous sans appel de notre condition
sommes-nous sans appel à l'universel recours

hommes, souvenez-vous de vous en d'autres temps

TÊTE DE CABOCHE

Une idée ça vrille et pousse
l'idée du champ dans l'épi de blé
au cœur des feuilles l'idée de l'arbre
qui va faire une forêt
et même, même
forcenée, l'idée du chiendent

c'est dans l'homme tenu
sa tourmente aiguisée
sa brave folie grimpante

non, ça n'déracine pas
ça fait à sa tête de travers
cette idée-là, bizarre! qu'on a
tête de caboche, ô liberté

SUR LA PLACE PUBLIQUE
recours didactique

Mes camarades au long cours de ma jeunesse
si je fus le haut lieu de mon poème, maintenant
je suis sur la place publique avec les miens
et mon poème a pris le mors obscur de nos combats

Longtemps je fus ce poète au visage conforme
qui frissonnait dans les parallèles de ses pensées
qui s'étiolait en rage dans la soie des désespoirs
et son cœur raillait de haut la crue des injustices

Maintenant je sais nos êtres en détresse dans le siècle
je vois notre infériorité et j'ai mal en chacun de nous

Aujourd'hui sur la place publique qui murmure
j'entends la bête tourner dans nos pas
j'entends surgir dans le grand inconscient résineux
les tourbillons des abattis de nos colères

Mon amour tu es là, fière dans ces jours
nous nous aimons d'une force égale à ce qui nous sépare
la rance odeur de métal et d'intérêts croulants
tu sais que je peux revenir et rester près de toi
ce n'est pas le sang, ni l'anarchie ou la guerre
et pourtant je lutte, je te le jure, je lutte
parce que je suis en danger de moi-même à toi
et tous deux le sommes de nous-mêmes aux autres

Les poètes de ce temps montent la garde du monde
car le péril est dans nos poutres, la confusion
une brunante dans nos profondeurs et nos surfaces
nos consciences sont éparpillées dans les débris
de nos miroirs, nos gestes des simulacres de liberté
je ne chante plus je pousse la pierre de mon corps

Je suis sur la place publique avec les miens
la poésie n'a pas à rougir de moi
j'ai su qu'une espérance soulevait ce monde jusqu'ici

COMPAGNON DES AMÉRIQUES

Compagnon des Amériques
Québec ma terre amère ma terre amande
ma patrie d'haleine dans la touffe des vents
j'ai de toi la difficile et poignante présence
avec une large blessure d'espace au front
dans une vivante agonie de roseaux au visage

je parle avec les mots noueux de nos endurances
nous avons soif de toutes les eaux du monde
nous avons faim de toutes les terres du monde
dans la liberté criée de débris d'embâcle
nos feux de position s'allument vers le large
l'aïeule prière à nos doigts défaillante
la pauvreté luisant comme des fers à nos chevilles

mais cargue-moi en toi pays, cargue-moi
et marche au rompt le cœur de tes écorces tendres
marche à l'arête de tes dures plaies d'érosion
marche à tes pas réveillés des sommeils d'ornières
et marche à ta force épissure des bras à ton sol

mais chante plus haut l'amour en moi, chante
je me ferai passion de ta face
je me ferai porteur de ton espérance
veilleur, guetteur, coureur, haleur de ton avènement
un homme de ton réquisitoire
un homme de ta patience raboteuse et varlopeuse

un homme de ta commisération infinie
       l'homme artériel de tes gigues
dans le poitrail effervescent de tes poudreries
dans la grande artillerie de tes couleurs d'automne
dans tes hanches de montagnes
dans l'accord comète de tes plaines
dans l'artésienne vigueur de tes villes
devant toutes les litanies
       de chats-huants qui huent dans la lune
devant toutes les compromissions en peaux de vison
devant les héros de la bonne conscience
les émancipés malingres
       les insectes des belles manières
devant tous les commandeurs de ton exploitation
de ta chair à pavé
       de ta sueur à gages

mais donne la main à toutes les rencontres, pays
toi qui apparais
       par tous les chemins défoncés de ton histoire
aux hommes debout dans l'horizon de la justice
qui te saluent
salut à toi territoire de ma poésie
salut les hommes et les femmes
des pères et mères de l'aventure

L'OCTOBRE

L'homme de ce temps porte le visage de la
        Flagellation
et toi, Terre de Québec, Mère Courage
dans ta Longue Marche, tu es grosse
de nos rêves charbonneux douloureux
de l'innombrable épuisement des corps et des âmes

je suis né ton fils par en haut là-bas
dans les vieilles montagnes râpées du Nord
j'ai mal et peine ô morsure de naissance
cependant qu'en mes bras ma jeunesse rougeoie

voici mes genoux que les hommes nous pardonnent
nous avons laissé humilier l'intelligence des pères
nous avons laissé la lumière du verbe s'avilir
jusqu'à la honte et au mépris de soi dans nos frères
nous n'avons pas su lier nos racines de souffrance
à la douleur universelle dans chaque homme ravalé

je vais rejoindre les brûlants compagnons
dont la lutte partage et rompt le pain du sort commun
dans les sables mouvants des détresses grégaires

nous te ferons, Terre de Québec
lit des résurrections
et des mille fulgurances de nos métamorphoses
de nos levains où lève le futur
de nos volontés sans concessions

les hommes entendront battre ton pouls dans l'histoire
c'est nous ondulant dans l'automne d'octobre
c'est le bruit roux de chevreuils dans la lumière
l'avenir dégagé

                    l'avenir engagé

L'amour et le militant

Chaque jour je m'enfonce dans ton corps
et le soleil vient bruire dans mes veines
mes bras enlacent ta nudité sans rivages
où je déferle pareil à l'espace sans bords

sur les pentes d'un combat devenu total
au milieu de la plus quotidienne obscurité
je pense à toi tel qu'au jour de ma mort
chaque jour tu es ma seule voie céleste

malgré l'érosion des peines tourmenteuses
je parviens à hisser mon courage faillible
je parviens au pays lumineux de mon être
que je t'offre avec le goût d'un cours nouveau

amour, sauvage amour de mon sang dans l'ombre
mouvant visage du vent dans les broussailles
femme, il me faut t'aimer femme de mon âge
comme le temps précieux et blond du sablier

Quand je te retrouve après les camarades
le monde est agrandi de nos espoirs de nos paroles
et de nos actions prochaines dans la lutte
c'est alors de t'émouvoir que je suis enhardi
avec l'intensité des adieux désormais dénoués
et de l'aube recommencée sur l'autre versant
lorsque dans nos corps et autour
lorsque dans nos pensées emmêlées
lentement de sondes lentement de salive solaire
jonchés de flores caressés de bêtes brûlantes
secoués de fulgurants déplacements de galaxies
où des satellites balisent demain de plus de dieux
ainsi de te prendre dans le tumulte et l'immensité
lucide avec effervescence
tu me hâtes en toi consumant le manège du désir
et lors de l'incoercible rafale fabuleuse
du milieu de nous confondus sans confins
se lèvent et nous soulèvent
l'empan et le faîte de l'étreinte plus pressante
que la fatalité
noueuse et déliée, chair et verbe, espace
que nous formons largués l'un dans l'autre

Parle-moi parle-moi de toi parle-moi de nous
j'ai le dos large je t'emporterai dans mes bras
j'ai compris beaucoup de choses dans cette époque
les visages et les chagrins dans l'éloignement
la peur et l'angoisse et les périls de l'esprit
je te parlerai de nous de moi des camarades
et tu m'emporteras comblée dans le don de toi

jusque dans le bas-côté des choses
dans l'ombre la plus perdue à la frange
dans l'ordinaire rumeur de nos pas à pas
lorsque je rage butor de mauvaise foi
lorsque ton silence me cravache farouche
dans de grandes lévitations de bonheur
et dans quelques grandes déchirures
ainsi sommes-nous un couple
toi s'échappant de moi
moi s'échappant de toi
pour à nouveau nous confondre d'attirance
ainsi nous sommes ce couple ininterrompu
tour à tour désassemblé et réuni à jamais

Frêle frileuse femme qui vas difficilement
(son absence fait mal en creux dans ton ventre)
d'un effort à l'autre et dans l'espérance diffuse
tiens debout en vie aux souffles des nécessités

diaphane fragile femme belle toujours d'une flamme
de bougie, toi aussi tu as su, tes yeux s'effarent
(l'humidité de l'ennui, ta fraîcheur qui s'écaille)
patiente amoureuse femme qui languis de cet homme

mince courageuse femme qui voiles ton angoisse
(tu oublies ses rencontres, ses liens clandestins)
sans toujours le vouloir il te mêle à sa souffrance
ce monde qui nous entoure auquel ses bras se donnent

la justice est-il écrit est l'espoir de l'homme
(il se mépriserait lui-même du mépris qu'on lui porte)
elle pense: c'est en toi qu'est ancrée ma présence
il pense: c'est par elle unanime que je possède ma vie

Ce que la mer chante à des milles d'ici
la force de ton ventre, le besoin absolu
de m'ériger en toi
voici que mes bras de mâle amour s'ébranlent
pour les confondre en une seule étendue

ce que la terre dans l'alchimie de ses règnes
abandonne et transmue en noueuses genèses
de même je l'accomplis en homme concret
dans l'arborescence de l'espèce humaine
et le destin qui me lie à toi et aux nôtres

si j'étais mort avant de te connaître
ma vie n'aurait jamais été que fil rompu
pour la mémoire et pour la trace
je n'aurais rien su de mon corps d'après la mort
ni des grands fonds de la durée
rien de la tendresse au long cours de tes gestes
cette vie notre éternité qui traverse la mort

et je n'en finis pas d'écouter les mondes
au long de tes hanches…

LE CAMARADE

Camarade tu passes invisible dans la foule
ton visage disparaît dans la marée brumeuse
de ce peuple au regard épaillé sur ce qu'il voit
la tristesse a partout de beaux yeux de hublot

tu écoutes les plaintes de graffiti sur les murs
tu touches les pierres de l'innombrable solitude
tu entends battre dans l'ondulation des épaules
ce cœur lourd par la rumeur de la ville en fuite

tu allais Jean Corbo au rendez-vous de ton geste
tandis qu'un vent souterrain tonnait et cognait
pour des années à venir
dans les entonnoirs de l'espérance

     qui donc démêlera la mort de l'avenir

LE SALUT D'ENTRE LES JOURS

à Pierre Vallières et Charles Gagnon

Je vous salue clandestins et militants, hommes
plus grands pour toujours que l'âge de vos juges

camarades,

votre pas dans les parages encore incertains
de ces jours de notre histoire où vous alliez
touchant le fond âpre, l'étendue panique
et l'abandon des nôtres par qui nous savons

camarades,

comme arbre avec un arbre, mur avec un mur
comme souffle dans le jour et nuit dans la nuit
parmi les révélations souterraines de la colère
parmi le déferlement des compassions noueuses
avec la peur et l'angoisse tenues sous le regard
marqués par le scandale du dérisoire embrasement
de ceux qui changent la honte subie en dignité
et l'espérance a fini de n'être que l'espérance

camarades,

nombreux dans celui qui va seul au rendez-vous
avec notre nom et notre visage pour le monde
chacun dans chacun n'étant plus divisé en soi

Aliénation délirante

recours didactique

Y est-y flush lui… c'est un blood man… watch out à mon seat cover… c'est un testament de bon deal…

voici me voici l'unilingue sous-bilingue voilà comment tout commence à se mêler à s'embrouiller c'est l'écheveau inextricable

Je m'en vas à la grocerie… pitche-moi la balle… toé scram d'icitte… y t'en runne un coup…

voici me voici l'homme du langage pavlovien les réflexes conditionnés bien huilés et voici les affiches qui me bombardent voici les phrases mixtes qui me sillonnent le cerveau verdoyant voici le garage les banques l'impôt le restaurant les employeurs avec leurs hordes et leurs pullulements de nécessités bilingues qui s'incrustent dans la moelle épinière de l'espace mental du langage et te voici dans l'engre-nage et tu attrapes l'aliénation et tu n'en sortiras qu'à coup de torture des méninges voilà comment on se réveille un bon jour vers sa vingtième année infesté cancéreux qui s'ignore et ça continue

Passe-moi le lighter... j'ai skidé right back... le dispatcher m'a donné ma slip pour aller gaser... donne-moé le wrench que je spère le sign'... toé t'es un mental... j'ai quand même envie d'un good score... ces maudits-là y vont faire rire de nus autes... aie sir you speak french pour l'amour du bon dieu vous pourriez pas me passer dix cennes garanti c'est pas pour un verre de bière c'est pour manger... encore un verrat de bloke qui parle pas françá sus la djobe... j'te dis que j'te l'ai squeezée pis neckée à mort... monsieur c'est vrai chus pas capable de parler anglais avec les clients mais chus capable de donner mes ordres en anglais au cook prenez-moé comme waitrisse... on s'est entendu full top... maudit locké ça m'arriverait pas une shot de fois à moé...

ainsi le temps s'abolit ainsi l'éternité fait irruption dans l'instant ainsi je ne vis pas une histoire je ne suis pour ceux qui font l'histoire à l'étage supérieur qu'une maladie du soubassement dont ils souffrent depuis un certain temps deux siècles environ je crois une maladie naguère bénigne sais pas j'essaie de voir quelque chose de temps en temps comme une démangeaison mais aujourd'hui qui se manifeste et culmine en abcès de fixation de sorte qu'il est temps estiment-ils d'en faire l'ablation ou quelque chose d'équivalent ce quelque chose qui peut-être surprendra la maladie elle-même ainsi la maladie se résorbera dans la déglutition des grands ensembles

alors tout finit par chambranler autour de toi puis c'est la grande rasade la grande débarque la grande galope la grande toupie la grande tombée dans les pâmes de l'irrationnel tu marches tu vires il n'y a plus rien de repérable plus de points cardinaux tu regardes le ciel et la terre à l'endroit ou à l'envers et c'est tout comme il n'y a plus ni forces centrifuges ni centripètes

alors l'univers t'appartient tu es fils de l'universel tu n'as plus terre lieu ni feu et tu t'affirmes universel en te niant et tout est cotonneux blanc gros sel et lisse verre polarisé et alors tu commences à faire de la littérature à cause des mirages et tu vois l'Homme et tu vois la Personne Humaine et tu vois ses Attributs universels et tu vois la Culture indépendamment des accidents ethniques géographiques ou religieux et tu vois les Tâches sans attaches ni matrice ni homogénéité et tu vois les Critères humains et tu vois la Politique Fonctionnelle flotter sur le crâne chenu du bel univers harmonisé et tu vois pour ton compte se lever les couchers de soleil de la beauté et les oiseaux et les fleurs faire cui-cui et belles hampes avec corolle à cinq rangées dans tes vers et tu vois que tu oublies les Priorités c'est-à-dire les trous de printemps dans les rues et la loi des coroners de quinze ans traînant la patte parce qu'il va de soi que tu ne peux résoudre les problèmes qu'à la queue leu leu consécutivement contigûment c'est-à-dire les trous dans les rues et la loi des coroners de sorte qu'il faut commencer par ça de sorte que «tout ce qui est une vue partielle ne peut être absolument bon ni pour la même raison absolument mauvais» et tu vois que tu meurs par le tout et tu vois que tu ne te vois plus

119

alors tu te mets à te chercher à belles dents mais tu n'as plus de dents et tandis que d'autres ont le retard de leur avance toi tu es toujours en retard d'un rattrapage et alors tu plonges dans ta peau de peau et tu touches du doigt que tu es dans l'eau salée qui défait les chairs dans un acide qui corrode les plus résistants dans un périple de générations dans une entreprise d'élevage en série pour la fonction et que tu disparais dans la densité dans le nombre indifférencié dans l'informe l'incertain le vague tandis que pérorent toujours au-dessus du magma les CATÉGORIES ci-devant énoncées par les spécialistes d'usage et tu touches du doigt s'il t'en reste l'occultation par lesdites CATÉGORIES de ce dans quoi tu te meus c'est-à-dire tes déterminations et ta spécificité parce qu'elles nient celles-ci et tu touches de ton moignon qu'elles suppriment l'un des termes de la dialectique de sorte que tu es tranquille sans antagonismes et sans tensions, sans tragique et sans destin et tu touches avec ton moignon raccourci que tu ne peux dire qui tu es et que par conséquent personne autre que toi ne sait comment tu te perçois dans l'amplification de la trame sonore de l'existentiel pas plus que les autres cellules tenues étanches de la reproduction collective et alors tu t'évades par la calotte dans un salut personnel où tu rejoins les quelques autres avec tous les attributs et les critères humains universels

alors tu ré-entends parler de la Personne Humaine tu entends un nommé Dean Rusk demander aux peuples libres qui croient en cette même Personne et en ses Droits inaliénables de resserrer le blocus autour de Cuba «économiquement, politiquement et spirituellement» et tu entends un certain Cabot Lodge protester au nom encore de cette même Personne et de ses mêmes Droits de la sauvagerie de la barbarie d'un attentat du Viêt-cong contre trois innocents officiers américains et qui demande aux peuples libres de condamner de telles méthodes et tu lis dans ton journal qu'un avion vietnamien sur le conseil des civilisés a rasé au napalm un village de ce pays repaire de vermine et qu'il n'est pas resté de survivants et toi tu en conclus que ces gens-là ne font pas partie de l'Humanité et qu'ils n'ont pas de Personne Humaine et toi tu en viens quelque part dans ta pensée polluée de dualisme de langage depuis la formation de ton psychisme premier à te demander si c'est bien de la même Personne Humaine que se réclament les spécialistes d'usage de chez nous et toi tu ne sais plus quoi penser ni qui tu es et si tu as une Personne Humaine et laquelle si c'est oui

alors ce coup de lucidité agit comme un coup de bambou et tu t'acharnes et décharnes tu es la proie de l'osmose tu oscilles tu déraisonnes tu délires tes bras frappent l'air comme ceux des moulins à vent tu deviens un monceau de tics un paquet traumatisé tu fais eau de toutes parts tu es traversé de part en part tu te sens mal de pis en pis sombrer désintégrer t'enliser sans prise tu es médiocre inférieur les peurs les fantasmagories le dégoût la nausée le pot au noir du désespoir tu entends des voix tu fais le con le pitre la risée et tu n'es plus que deux yeux de grenouille à la surface de l'étang et tu n'es plus tout court tandis que les subtils effluves de l'agression t'enveloppent tournoient s'insinuent et à la fin dans ton histoire qui n'a ni commencement ni fin tu te suicides sans mourir comme un lemming dans l'infini et la densité de l'inconsistance fluide et non caractérisée sinon par la négation de toute caractérisation et alors donnant naissance à une autre cellule en tous points pareille à ce que tu ne fus jamais et qui parcourra les mêmes états intermédiaires et tronqués sans vraiment se posséder et se concevoir et pouvoir se vivre comme expérience connaissance spécificité identité destinée et universalité tandis que tu t'avances titubant de plus en plus dans la plus gigantesque saoulerie d'irréel ô mon schizophrène dans le plus fantomatique des mondes et tu n'es plus qu'une fonction digestive à l'échelle de ta vie

ne dépassez pas quand arrêté… pharmacie à prix coupés… balancement des roues… saveur sans aucun doute… coinwash… Canadian Acceptance Co… City & District Savings Bank… Shoe Fox… Hot smoked meat… Albert's Men's Wear… Bed's Furniture… National Meat Market… Nous vous remercions de votre patronage… monnaie exacte… limites légales…

Notes sur le non-poème
et le poème

extraits

Je parle seulement pour moi et quelques autres
puisque beaucoup de ceux qui ont parole
se déclarent satisfaits.
VOYEZ LES MANCHETTES.

Je parle de CECI.
CECI, mon état d'infériorité collectif. CECI, qui
m'agresse dans mon être et ma qualité d'homme
espèce et spécifique. En dehors tout ensemble qu'en
dedans. Je parle de ce qui sépare. CECI, les conditions
qui me sont faites et que j'ai fini par endosser comme
une nature. CECI, qui sépare le dedans et le dehors en
en faisant des univers opaques l'un à l'autre.

oui, à Jacques Berque

CECI est agonique
CECI de père en fils jusqu'à moi

Le non-poème
c'est ma tristesse
ontologique
la souffrance d'être un autre

Le non-poème
ce sont les conditions subies sans espoir
de la quotidienne altérité

Le non-poème
c'est mon historicité
vécue par substitutions

Le non-poème
c'est ma langue que je ne sais plus reconnaître
des marécages de mon esprit brumeux
à ceux des signes aliénés de ma réalité

Le non-poème
c'est la dépolitisation maintenue
de ma permanence

Or le poème ne peut se faire
que contre le non-poème
ne peut se faire qu'en dehors du non-poème
car le poème est émergence
car le poème est transcendance
dans l'homogénéité d'un peuple qui libère
sa durée inerte tenue emmurée

Le poème, lui, est debout
dans la matrice culture nationale
il appartient
avec un ou dix mille lecteurs
sinon il n'est que la plainte ininterrompue
de sa propre impuissance à être
sinon il se traîne dans l'agonie de tous

(Ainsi je deviens
illisible aux conditions de l'altérité
— What do you want? disent-ils —
ainsi je deviens
concret à un peuple)

Poème, je te salue
dans l'unité refaite du dedans et du dehors
ô contemporanéité flambant neuve
je te salue, poème, historique, espèce
et présent de l'avenir

Le poème, ici, a commencé
d'actualiser
le poème, ici, a commencé
d'être souverain

Je me hurle dans mes harnais. Je sais ce que je sais, CECI, ma culture polluée, mon dualisme linguistique, CECI, le non-poème, qui a détruit en moi jusqu'à la racine l'instinct même du mot français. Je sais, comme une bête dans son instinct de conservation, que je suis l'objet d'un processus d'assimilation, comme homme collectif, par la voie légaliste (le statu quo structurel) et démocratique (le rouleau compresseur majoritaire). Je parle de ce qui me regarde, le langage, ma fonction sociale comme poète, à partir d'un code commun à un peuple. Je dis que la langue est le fondement même de l'existence d'un peuple, parce qu'elle réfléchit la totalité de sa culture en signes, en signifiés, en signifiance. Je dis que je suis atteint dans mon âme, mon être, je dis que l'altérité pèse sur nous comme un glacier qui fond sur nous, qui nous déstructure, nous englue, nous dilue. Je dis que cette atteinte est la dernière phase d'une dépossession de soi comme être, ce qui suppose qu'elle a été précédée par l'aliénation du politique et de l'économique. Accepter CECI c'est me rendre complice de l'aliénation de mon âme de peuple, de sa disparition en l'Autre. Je dis que la disparition d'un peuple est un crime contre l'humanité, car c'est priver celle-ci d'une manifestation différenciée d'elle-même. Je dis que personne n'a le droit d'entraver la libération d'un peuple qui a pris conscience de lui-même et de son historicité.

En CECI le poème se dégrade. En CECI le poème prend tous les masques d'une absence, la nôtre-mienne. Mais contestant CECI, absolument, le poème est genèse de présence, la nôtre-mienne. En CECI, le poème s'essaie, puis retombe dans l'enceinte de son en-deçà. Ô poème qui s'essaie, dont la langue n'a pas de primum vivere, poème en laisse, pour la dernière fois je m'apitoie sur toi, avec nos deux siècles de saule pleureur dans la voix.

Mon poème
comme le souffle d'un monde affalé contre sa
    mort
        qui ne vient pas
        qui ne passe pas
        qui ne délivre pas

comme une suite de mots moribonds en héritage
comme de petits flocons de râles aux abords
    des lèvres
comme dans les étendues diffuses de mon corps
mon poème
entre haleine et syncopes
ce faible souffle phénix d'un homme cerné
    d'irréel
dans l'extinction de voix d'un peuple granulé
dans sa déréliction pareille aux retours des
    saisons
une buée non repérable dans le miroir du
    monde
mon poème
ce poème-là
paix à tes cendres

l'amnésie de naissance

Où en suis-je en CECI? Qu'est-ce qui se passe
en CECI? Par exemple, je suis au carrefour Sainte-
Catherine et Papineau, le calendrier marque 1964,
c'est un printemps, c'est mai. CECI, figé, avec un
murmure de nostalgie, se passe tout aussi bien en
1930 qu'en 1956. Je suis jeune et je suis vieux tout à
la fois. Où que je sois, où que je déambule, j'ai le vertige comme un fil à plomb. Je n'ai pas l'air étrange, je
suis étranger. Depuis la palpitation la plus basse de
ma vie, je sens monter en moi les marées végétales et
solaires d'un printemps, celui-ci ou un autre, car tout
se perd à perte de sens et de conscience. Tout est

sans contours, je deviens myope de moi-même, je deviens ma vie intérieure exclusivement. J'ai la connaissance infime et séculaire de n'appartenir à rien. Je suis suspendu dans le coup de foudre permanent d'un arrêt de mon temps historique, c'est-à-dire d'un temps fait et vécu entre les hommes, qui m'échappe; je ne ressens plus qu'un temps biologique, dans ma pensée et dans mes veines. Les autres, je les perçois comme un agrégat. Et c'est ainsi depuis des générations que je me désintègre en ombelles soufflées dans la vacuité de mon esprit, tandis qu'un soleil blanc de neige vient tournoyer dans mes yeux de blanche nuit. C'est précisément et singulièrement ici que naît le malaise, qu'affleure le sentiment d'avoir perdu la mémoire. Univers cotonneux. Les mots, méconnaissables, qui flottent à la dérive. Soudain je veux crier. Parfois je veux prendre à la gorge le premier venu pour lui faire avouer qui je suis. Délivrez-moi du crépuscule de ma tête. De la lumière noire, la lumière vacuum. Du monde lisse. Je suis malade d'un cauchemar héréditaire. Je ne me reconnais pas de passé récent. Mon nom est «Amnésique Miron».

Le monde est noir puis le monde est blanc
le monde est blanc puis le monde est noir
entre deux chaises deux portes
                            ou chien et loup
un mal de roc diffus rôdant dans la carcasse
le monde est froid puis le monde est chaud
le monde est chaud puis le monde est froid
mémoire sans tain

des années tout seul dans sa tête
homme flou, cœur chavirant, raison mouvante

Comment faire qu'à côté de soi un homme
porte en son regard le bonheur physique de sa
    terre
et dans sa mémoire le firmament de ses signes

Beaucoup n'ont pas su, sont morts de vacuité
mais ceux-là qui ont vu je vois par leurs yeux

la dénonciation

Je sais qu'en CECI ma poésie est occultée
en moi et dans les miens
je souffre dans ma fonction, poésie
je souffre dans mon matériau, poésie
CECI est un processus de dé-création
CECI est un processus de dé-réalisation

Je dis que pour CECI il n'est pas possible que
je sois tout un chacun coupable. Il y a des com-
plicités inavouées. Il n'est pas possible que tout le
monde ait raison en même temps. Il y a des coupables précis. Nous ne sommes pas tous coupables de
tant de souffrance sourde et minérale dans tous les
yeux affairés, la même, grégaire. Nous ne sommes
pas tous coupables d'une surdité aussi générale derrière les tympans, la même, grégaire. D'une honte et
d'un mépris aussi généralement intériorisés dans le

conditionnement, les mêmes, grégaires. Il y a des coupables. Connus et inconnus. En dehors, en dedans.

Longtemps je n'ai su mon nom, et qui j'étais, que de l'extérieur. Mon nom est «Pea Soup». Mon nom est «Pepsi». Mon nom est «Marmelade». Mon nom est «Frog». Mon nom est «Damned Canuck». Mon nom est «speak white». Mon nom est «dish washer». Mon nom est «floor sweeper». Mon nom est «Bastard». Mon nom est «cheap». Mon nom est «sheep». Mon nom... Mon nom...

> En CECI le poème n'est pas normal
> l'humiliation de ma poésie est ici
> une humiliation ethnique
> pour que tous me voient
> dans ma transparence la plus historique
> j'assume, devers le mépris,
> ce pourquoi de mon poème
> où il s'oppose à CECI, le non-poème

La mutilation présente de ma poésie, c'est ma réduction présente à l'explication. En CECI, je suis un poète empêché, ma poésie est latente, car vivant CECI j'échappe au processus historique de la poésie. Dites cela en prose, svp! — You bet!

> Mais cette brunante dans la pensée
> même quand je pense
> c'est ainsi
> par contiguïté, par conglomérat
> par mottons de mots

en émergence du peuple
car je suis perdu en lui et avec lui
seul lui dans sa reprise
peut rendre ma parole
intelligible
et légitime

J'écris ces choses avec fatigue, comme celui qui disait être «las de ce monde ancien». De ces régions de mon esprit comme du bois qui craque dans le froid. Les régions exsangues. Dans l'incohérence qui me baigne de part en part, aux prises avec la confusion de mes vocables les plus familiers, en proie à la perversion sémantique à l'échelle de toute une langue. Dans le refoulement constant dans mon irrationalité dans laquelle CECI me rejette à tout moment. Dans le malheur commun quand le malheur ne sait pas encore qu'il est malheur. Je l'écris pour mémoire. Comme étant transitoire. Je l'écris pour attester que CECI, le non-poème, a existé et existe encore; que CECI, le non-poème, est né par qui nous savons, par qui l'histoire saura. Pour dire et donner voix au muet.

Comment dire ce qui ne peut se confier? Je n'ai que mon cri existentiel pour m'assumer solidaire de l'expérience d'une situation d'inférorisation collective. Comment dire l'aliénation, cette situation incommunicable? Comment être moi-même si j'ai le sentiment d'être étranger dans mon objectivité, si celle-ci m'apparaît comme opaque et hostile, et si je n'existe qu'en ma subjectivité? Il appartient au poème de prendre conscience de cette aliénation, de reconnaître l'homme carencé de cette situation. Seul celui-là qui se perçoit comme tel, comme cet homme, peut dire la situation. L'œuvre du poème, dans ce moment de réappropriation consciente, est de s'affirmer solidaire dans l'identité. L'affirmation de soi, dans la lutte du poème, est la réponse à la situation qui dissocie, qui sépare le dehors et le dedans. Le poème refait l'homme.

Et CECI, qui est ma parenthèse, est antéhistorique au poème.

CECI, aujourd'hui, parce que le poème a commencé d'être souverain, devient peu à peu postcolonial.

En conséquence de quoi, je vais jusqu'au bout dans la démonstration monstrueuse et aberrante. Je mets en scène l'aliénation, je me mets en scène. Aujourd'hui je fais UN boulot, par suppléance, mais demain je ferai MON boulot, qui est d'écrire des poèmes. Aujourd'hui je mène un combat contre les dernières survivances de mon irréalité. Le poème est irréversible. Je vais jusqu'au bout dans la démission de ce que les auteurs de CECI (du dedans comme du dehors) ont voulu que je sois et que j'ai fini, mystifié, par vouloir être. Je déboulonne la mystification. Je ne trahis pas la poésie, je montre son empêchement, son encerclement. Ainsi je la sers en vérité, ainsi je la

situe dans son processus. Les pharisiens ne pardon-
neront jamais à ma poésie d'avoir eu honte AVEC tous,
en esprit et en vérité, au lieu DE tous. D'avoir eu
honte dans l'homme concret — ses conditions de vie,
sa quotidienneté, la trame de ses humiliations — et
non pas dans l'homme abstrait, éternel.

Je dresse l'acte de mon art prépoétique. Je me
fais immédiatement comestible, immédiatement
périssable.

Dans la pratique de ma vie quotidienne
je me fais didactique à tous les coins de rue
je me fais politique dans ma revendication
    totalisante
dans la pratique de mon art
je me fais utopique à pleines brasses vers ma
    nouvelle réalité
en deçà de l'espoir agonique
au-delà du désespoir agonique
je me fais idéologique (je n'avoue pas, je refuse
    que CECI soit le normal, soit l'ordre social
    naturel)
je me fais éthique (je ne consens en rien à
    l'oppression qui m'est faite, je me vis radical)
je me fais dialectique (néanmoins j'assume
    cette condition pour la détruire et postuler
    ce que je veux être)
les réactionnaires auront beau crier
à la contre-révolution
pour leur plus grand scandale

or, donc, par conséquent, par tous les joints de
    la raison qui me reste
je me fais slogan
je me fais publiciste et propagandiste
mais je braque
je spotte

Le poème ne peut se faire que contre le non-
    poème
Le poème ne peut se faire qu'en dehors du
    non-poème

Poèmes de l'amour en sursis

SEUL ET SEULE

Si tant que dure l'amour
j'ai eu noir
j'ai eu froid
tellement souvent
tellement longtemps
si tant que femme s'en va
il fait encore
encore plus noir
encore plus froid
tellement toujours
toujours tellement

ERRANT AMOUR

Ainsi créatures de l'hallucinante dépossession
le brasier roule en mon corps tous les tonnerres
la démence atteint les plus hauts gratte-ciel
quels ravages de toi ma belle dans le vide de toi
tant ma peine débonde qu'il n'est plus d'horizon
arquebuses et arcs-en-ciel brûlent mes yeux noyés

ainsi je lutte à rebours contre réel et raison
ainsi je charbonne dans la nostalgie des places
ainsi jusqu'en mes froids les plus nocturnes
avec la folie lunaire qui t'emporte ma belle...

AU SORTIR DU LABYRINTHE

Quand détresse et désarroi et déchirure
te larguent en la brume et la peur
lorsque tu es seule enveloppée de chagrins
dans un monde décollé de la rétine
alors ta souffrance à la mienne s'amarre, et pareils
me traversent les déserts de blancheur aiguë

Tu es mon amour dans l'empan de ma vie
ces temps nôtres sont durs parmi les nôtres
je tiens bon le temps je tiens bon l'espérance
et dans cet espace qui nous désassemble
je brillerai plus noir que ta nuit noire

Ce qu'aujourd'hui tu aimes et que j'aime
comme hier habitée toujours tu m'aimeras
comme désormais désertée je t'aimerai encore
il nous appartient de tout temps à jamais
ma naufragée dans un autre monde du monde

Je ne mourrai plus avec toi
à la croisée de nous deux

APRÈS ET PLUS TARD

Me voici de nouveau dans le non-amour sans espace
avec mon amour qui dévale tel le chevreuil atteint
et comme la marée se retire pour la dernière fois
avec ma vie incertaine et dépaysée de terrain vague
avec mon corps en cendres et mes yeux en dedans
ô amour, fille, avec encore un peu de ta chaleur dorée
le vent m'emporte dans les souffles de nulle part

Et plus tard dans cette rue où je m'égare
éparpillé dans mes gestes et brouillé dans mon être
tombant et me soulevant dans l'âme
toute la pluie se rassemble sur mes épaules
la tristesse du monde luit très lasse et très basse
mais toi passion des hautes flammes dans mes genoux
tu me ravages comme les tourmentes des forêts rageuses
et parfois je me traîne et parfois je rafale…

Même dans l'en-dehors du temps de l'amour
dans l'après-mémoire des corps et du cœur
je ne suis revenu ni de tout ni de rien
je n'ai pas peur de pleurer en d'autres fois
je suis un homme irrigué, irrigant
de nouveau je m'avance vers toi, amour, je te demande
passage, amour je te demande demeure

J'avance en poésie

LA PAUVRETÉ ANTHROPOS

Ma pauvre poésie en images de pauvres
avec tes efforts les yeux sortis de l'histoire
avec tes efforts de collier au cou des délires
ma pauvre poésie dans tes nippes de famille
de quel front tu harangues tes frères humiliés
de quel droit tu vocifères ton sort avec eux
et ces charges de dynamite dans le cerveau
et ces charges de bison vers la lumière
lumière dans la gangue d'ignorance
lumière emmaillotée de crépuscule
n'est-ce pas de l'inusable espoir des pauvres
ma pauvre poésie avec du cœur à revendre
de perce-neige malgré les malheurs de chacun
de perce-confusion de perce-aberration
ma pauvre poésie dont les armes rouillent
dans le haut-côté de la mémoire
ma pauvre poésie toujours si près de t'évanouir
dans le gargouillement de ta parole
désespérée mais non pas résignée
obstinée dans ta compassion et le salut collectif
malgré les malheurs avec tous et entre nous
qu'ainsi à l'exemple des pauvres tu as ton orgueil
et comme des pauvres ensemble un jour tu seras
dans une conscience ensemble
sans honte et retrouvant une nouvelle dignité

PARIS

Dans les lointains de ma rencontre des hommes
le cœur serré comme les maisons d'Europe
avec les maigres mots frileux de mes héritages
avec la pauvreté natale de ma pensée rocheuse

j'avance en poésie comme un cheval de trait
tel celui-là de jadis dans les labours de fond
qui avait l'oreille dressée à se saisir réel
les frais matins d'été dans les mondes brumeux

ART POÉTIQUE

J'ai la trentaine à bride abattue dans ma vie
je vous cherche encore pâturages de l'amour
je sens le froid humain de la quarantaine d'années
qui fait glace en dedans, et l'effroi m'agite

je suis malheureux ma mère mais moins que toi
toi mes chairs natales, toi qui d'espérance t'insurges
ma mère au cou penché sur ton chagrin d'haleine
et qui perds gagnes les mailles du temps à tes mains

dans un autre temps mon père est devenu du sol
il s'avance en moi avec le goût du fils et des outils
mon père, ma mère, vous saviez à vous deux
nommer toutes choses sur la terre, père, mère

      j'entends votre paix
      se poser comme la neige...

ARRÊT AU VILLAGE
le dernier recours didactique

J'ai souvent parlé avec des hommes devenus pauvreté
ils parlaient sachant de quoi il en retournait
de leur sort et du mauvais gouvernement au loin
ils avaient même une certaine grandeur farouche
dans le regard

jusqu'à ce jour-là je n'avais encore jamais parlé
avec des hommes sans pesanteur, plus étrangers
à nos présences que les martiens de notre terre
nos mots passaient à côté d'eux en la fixité parallèle
de leur absence

ce jour-là me poursuit comme ma propre fin
possible, un homme avec des yeux de courants d'air
dans le maintien inerte d'une exacte forme humaine
(je vois ces lueurs pourpres de coke dans leur main
j'entends ces craquements de chips entre leurs dents
et ce juke-box soulevant des ressacs engloutissant
d'un mur à l'autre)

cette vision me devance: un homme de néant
silence, avec déjà mon corps de grange vide, avec
une âme pareillement lointaine et maintenue minimale
par la meute vacante de l'aliénation, d'où parfois
d'un fin fond inconnu arrive une onde perceptible...

m'est témoin Paul-Marie Lapointe, en 1965, un soir
de pluie cafouilleuse
et de mer mêlées de tempête

                        en notre Gaspésie

LA CORNEILLE

Corneille, ma noire
corneille qui me saoules
opaque et envoûtante
venue pour posséder ta saison et ta descendance

Déjà l'été goûte un soleil de mûres
déjà tu conjoins en ton vol la terre et l'espace
au plus bas de l'air de même qu'en sa hauteur
et dans le profond des champs et des clôtures
s'éveille dans ton appel l'intimité prochaine
du grand corps brûlant de juillet

Corneille, ma noire
parmi l'avril friselis

Avec l'alcool des chaleurs nouvelles
la peau s'écarquille et tu me rends
bric-à-brac sur mon aire sauvage et fou braque
dans tous les coins et recoins de moi-même
j'ai mille animaux et plantes par la tête
mon sang dans l'air remue comme une haleine

Corneille, ma noire
jusqu'en ma moelle

Tu me fais prendre la femme que j'aime
du même trébuchant et même
tragique croassement rauque et souverain
dans l'immémoriale et la réciproque
secousse des corps

Corneille, ma noire

L'OMBRE DE L'OMBRE

La mort trébuchera dans sa dernière moisson
nous ne sommes plus qu'un dernier brin d'herbe
en tête-à-tête avec la vie
puis le monde n'est plus qu'un souvenir de bulle

la mort aux yeux de chavirements de ciel et terre
en petits coups des à-coups de vitesse aux manettes
        au volant des roues
en petites gorgées de secousses de laveuse de
        chemins carrossables
en petits élans de kayak en descente et culbute et
        cascades et toboggan
la mort la mort acétylène en fanaux de nuit
un matin d'obus lilas
une fraîcheur d'éclair et de truite mouchetée
la mort au cri de girouette dans la gorge
la mort elle ne pèse que l'ombre de l'ombre
femme ô femme petite âme petite vague
petite suite de petits fracassements dans mes bras
de froissements de papier à cigarette
de feux doux s'épandant à l'infini du fini

et dans l'ombre de l'ombre de chaque nuit
dormir et s'aimer encore
ô dormir
fleurir ensemble

LE QUATRIÈME AMOUR

Pour parler de toi à mes côtés
je retrouve ma voix pêle-mêle
la lévitation de ma force
et les jeux qui ne sont pas faits

Par ces temps nous traversons ensemble
avec fracas et beauté de nos âges
la déréliction intime et publique

Et je te porte sur toute la surface de mon corps
comme Lascaux
moi pan de mur céleste

LIEUX COMMUNS

Personne n'y peut rien
mais les objets mais les choses
personne personne
mais il était une fois toutes les fois
jamais toujours et pourtant

océaniques

le nous de toi
le nous de moi

FOYER NATUREL

Ma belle folie crinière au vent
je m'abandonne à toi sur les chemins
avec les yeux magiques du hibou
jusque dans les fins fonds du mal monde
parce que moi le noir
                            moi le forcené
            magnifique

LE QUÉBÉCANTHROPE

Telle fut sa vie que tous pouvaient voir.

Terminus.

Dans l'autre vie il fut pauvre comme un pauvre
vrai de vrai dépossédé.

Oubliez le Québécanthrope
ce garçon qui ne ressemble à personne.

EN UNE SEULE PHRASE NOMBREUSE

Je demande pardon aux poètes que j'ai pillés
poètes de tous pays, de toutes époques,
je n'avais pas d'autres mots, d'autres écritures
que les vôtres, mais d'une façon, frères,
c'est un bien grand hommage à vous
car aujourd'hui, ici, entre nous, il y a
d'un homme à l'autre des mots qui sont
le propre fil conducteur de l'homme,
merci.

Six courtepointes

1

Sentant la glaise
le sanglot
je m'avance ras
et gras, du pas
de l'escargot

à mon cou je porte
comme une amulette
un vertical néant

j'ai aussi, que j'ai
la vie comme black-out
sommeil blanc

C'est mon affaire
la terre et moi
flanc contre flanc

je prends sur moi
de ne pas mourir

Nous sommes dans nos cloisons
comme personne n'a d'idée là-dessus

sur un mur le corps s'imprime
les yeux se font soupiraux

les yeux voient par en dedans
à travers la tête éparse
monter le mercure de l'usure

mais je sais qu'elle y est
la lumière au recto des murs

elle travaille pour nous

un jour les murs auront mal
et ce qui adhère

nous verrons comment c'est dehors

C'est à voir
l'homme
le doigt dessus

aujourd'hui je m'avance
avec des preuves

Les mots nous regardent
ils nous demandent
de partir avec eux
jusqu'à perte de vue

Le monde ne vous attend plus
il a pris le large
le monde ne vous entend plus
l'avenir lui parle

2

FRAGMENT DE LA VALLÉE

Pays de jointures et de fractures
vallée de l'Archambault
étroite comme les hanches d'une femme maigre

diamantaire clarté
les échos comme des oiseaux cachés

sur tes pentes hirsutes
la courbure séculaire des hommes
contre la face empierrée des printemps montagneux

je me défais à leur encontre
de la longue lente prostration des pères

dans l'éclair racine nocturne soudaine
le firmament se cabre et de crête en crête
va la corneille au vol balourd

émouvante voix de balise

EN ARCHAMBAULT

Cette terre dans mes épaules
cette branche qui dans ma voix bruit
c'est déjà, et encore l'hiver!
sa nuit de merveille et de misère noire dans le vent
et par le vent la trace
le miroitement

CHAGRIN

Le temps et l'avalanche
hiver comme un mort qui bleuit
la sainte folie
reste écrouée
dans ma face hurlante et baignante

en bruits de fleurs de givre
la vie se vide
et dans l'enclos du chagrin
les bêtes à cornes
haleine rompue repassent

En Outaouais

Terre encore, terre éprise!
les hauteurs de la nuit s'éloignent
dans l'aura des montagnes violettes...
et d'entre les neiges
tes os à fleur de sol
où par les friches de l'aube
tu dégaines le printemps

Dans mes arpents d'yeux

Enfin je peux te regarder face à face
dans le plus végétal maintien de l'espace
terre tour à tour taciturne et tourmenteuse
terre tout à la fois en chaleur et frileuse...

pour qu'un jour enfin je repose
dans ton envolée la plus basse...

3

RUE SAINT-CHRISTOPHE

Je vis dans une très vieille maison où je commence
à ressembler aux meubles, à la très vieille peau
     des fauteuils
peu à peu j'ai perdu toute trace de moi sur place
le temps me tourne et retourne dans ses bancs de
     brume
tête davantage pluvieuse, ma très-très tête au loin

     (Étais-je ces crépitements
     d'yeux en décomposition
     étais-je ce gong du cœur
     dans l'errance de l'avenir
     ou était-ce ma mort invisible pêchant à la ligne
     dans l'horizon visible…

     cependant qu'il m'arrive encore des fois
     de plus en plus brèves et distantes
     de surgir sur le seuil de mon visage
     entre chaleur et froid)

FÉLICITÉ

Félicité Angers que j'appelle, Félicité où es-tu
toi de même tu n'as pas de maison ni de chaise
tu erres, aujourd'hui, tel que moi, hors de toi
et je m'enlace à toi dans cette pose ancienne

qu'est-ce qu'on ferait, nous, avec des mots
au point où nous en sommes, Félicité, hein?

toutes les femmes, Félicité, toutes encore
rien n'a changé comme en secret tu l'appelas

LE VIEIL OSSIAN

Certains soirs d'hiver, lorsque, dehors,
comme nouvellement
l'espace est emporté ici et là avec des ressacs
de branches
avec des rues, des abattis de poudrerie
puis, par moments,
avec de grands cratères de vide au bout du vent
culbuté mort,
il fait nuit dans la neige même
les maisons voyagent chacune pour soi

et j'entends dans l'intimité de la durée
tenant ferme les mancherons du pays sans limites
le vieil Ossian aveugle qui chante dans les radars

4

Doublure d'un combat

À bout portant, partout et tout l'temps
pas de temps pour le beau mot, pas de temps
pour l'extase, le scintillement, le tour noble
ces jeux qui ourleraient si bien la poésie

> hara!
> hara!
> kiri
> la poésie

pas de temps, le temps est au plus mal, la vie
va vite, à chaud, à vau-l'eau, en queue d'veau
et la mort est vaste, la mort en tas menace

> pis v'lan!
> pis tapoche!
> pis couic
> la poésie

pas de temps pour le temps, le temps nous manque
faut ce qu'il faut: tirer juste, et juste à temps
à bout portant, partout et tout l'temps

DE CONTRE

Le mal de
le mal de tête
de long
de court
de travers et à l'envers
de toutes sortes de
mais surtout de
dès ma sortie
de
ma tête de tête
en quelles verdures en quelles neiges
où était ma tête
en ces jours de
ma tête de moi
ma tête à qui ma tête à quoi
ma tête à nous peut-être

toujours est-il que de
dans l'horizontale haleine
avec ma tête effalée
puis ma tête affalée
le temps de
m'entête
et l'affaire de
dont c'est la fin des temps de
ce mal de
ce mal de tête
tête à ci tête à ça

de ci de ça
comme de
le dernier forçat de forçat

à force de
tête
de contre

DEMAIN, L'HISTOIRE

Triste pareil à moi il ne s'en fait plus
je regarde ce peuple qui va bientôt mourir
triste ainsi qu'il n'est plus possible
de l'être autant

personne ici ne meurt de sa belle mort
c'est un peu de nous tous en celui qui s'en va
et c'est en celui qui naît un peu de nous tous
qui devient autre

toi aussi tu seras triste un jour Humanité
mal tu auras dans les os certains siècles
le mal fantôme dans la vacance historique
de l'origine

Hommes
l'Histoire ne sera peut-être plus
retenez les noms des génocides
pour qu'en votre temps vous n'ayez pas les vôtres

hommes
il faut tuer la mort qui sur nous s'abat
et ceci appelle l'insurrection de la poésie

5

LE TEMPS DE TOI

Il fait un temps fou de soleil carrousel
la végétation de l'ombre partout palpitante
le jour qui promène les calèches du bonheur
le ciel est en marche sur des visages d'escale
d'un coup le vent s'éprend d'un arbre seul
il allume tous les rêves de son feuillage

Belle vie où nos mains foisonnent je te coupe
je reçois en plein cœur tes objets qui brillent
voici des silences comme des revolvers éteints
mes yeux à midi comme des étangs tranquilles
les fleurs sont belles de la santé des femmes

Le temps mon amour le temps ramage de toi
continûment je te parle à voix de passerelles
beaucoup de gens me soufflent ton nom de bouquet
je sais ainsi que tu es toujours la plus jolie
et naissante comme les beautés de chaque saison
il fait un monde heureux foulé de vols courbes

Je monte dans les échelles tirées de mes regards
je t'envoie mes couleurs vertes de forêt caravelle
il fait un temps de cheval gris qu'on ne voit plus
il fait un temps de château très tard dans la braise
il fait un temps de lune dans les sommeils lointains

NATURE VIVANTE

Le vent rend l'âme dans un amas d'ombre
les étoiles bourdonnent dans leurs feux d'abeilles
et l'air est doux d'un passage d'écureuil
tu déjoues le monde qui assiège nos lieux secrets
tu es belle et belle comme des ruses de renard

Par le vieux silence animal de la plaine
lorsque fraîche et buvant les rosées d'envol
comme un ciel défaillant tu viens t'allonger
mes paumes te portent comme la mer
en un tourbillon du cœur dans le corps entier

EN TOUTE LOGIQUE

Toi qui m'aimes au hasard de toi-même
toi ma frégate nénuphar mon envolée libellule
le printemps s'épand en volliers de paupières
voyageuse d'air léger de rêves céréales
bariolée avec tes robes aux couleurs
de perroquets bizarres
lieu d'arc-en-ciel et de blason
tempête de miel et de feu et moi
braque et balai
cœur tonnant et chevauché
par le brouhaha des sens
ta poitrine d'étincelles vertige voltige

et dans nos cambrures et nos renverses
mon corps t'enhoule
de violentes délices à tes hanches
et à grandes embardées de chevreuil de kayak
le monde bascule trinque et culbute
toi ma gigoteuse toi ma giboyeuse

mon accotée
ma tannante de belle accotée

tes cils retiennent de vacillantes douceurs

6

L'HÉRITAGE ET LA DESCENDANCE

Et ce fut lorsqu'il vint
un oiseau d'éternité
qui longtemps se changea en crépuscule

aujourd'hui cet oiseau
avec la mémoire venue d'ailleurs
il vole dans les pas de l'homme

derrière la herse des soleils

Inutile de rebrousser vie
par des chemins qui hantent les lointains
demain nous empoigne dans son rétroviseur
nous abîmant en limaille dans le futur déjà

et j'ai hâte à il y a quelques années
l'avenir est aux sources

(Où, quand?) il arrive toujours même
qu'une femme émerge de sa blancheur
dans les parages de l'éternité passagère
malgré l'horizon plus bas que notre monde

le temps (lorsque) de naître
éphémère éternité

Par cet hiver qui exulte
dans la chasse-galerie des paroles
ici et là l'errance immobile
sur la trame de l'insu soudaine
où s'allume la lignée d'ancêtres

Dans le regard d'enfance
l'horizon du futur antérieur…

l'éternité aussi a des racines
éternité (éternité)
jusque dans l'héritage demain
ma Fou de bassan des yeux

dans l'âge plus nu
que la plus que pierre opaque

J'ai enfin rejoint mes chemins naturels
les paysages les bordant en sens contraire

j'avance quelques mots…
quelqu'un les répète comme son propre écho

dans la floraison du songe
Emmanuelle ma fille
je te donne ce que je réapprends

Circonstances

NOTE D'UN HOMME D'ICI*

Puisqu'il n'y a pas moyen d'y échapper, étant donné cette légende que je suis pour la petite «gang», étant donné ce malentendu, cette équivoque en moi et autour de moi, allons-y donc pour une «note» et au nom de tout ce que vous voudrez — ou de rien. Parce que je suis toujours au bord de la misère physiologique et mentale, qui voudra me croire, même de mes amis intimes, quand moi-même n'y comprends rien à Miron, quand moi-même, faute de prise sur le réel, suis incapable de saisir ce qui se passe. Et pourquoi cette pratique honnête de l'individu Miron par lui-même, et pourquoi dans le même temps ce détournement de fonds de lui-même par lui-même? Toute ma vie, et jusque dans mes motivations les moins avouables, j'ai essayé que cesse le jeu que je me joue et que je joue, afin que, si homme il y a, celui-ci devienne non plus spectateur et acteur, mais le lieu de la tragédie. Tout cela m'est apparu quand je n'avais encore que sept ans, alors qu'un de mes petits camarades déchira le masque que je portais à l'occasion d'une mascarade de Mardi gras. Aujourd'hui, je m'échine à demander aux autres qu'ils m'aident à ne plus jouer. Finissons-en avec le Miron poète qui n'a rien produit, et qui ne veut rien produire à l'avenir. Mais voilà, mon cabotinage de dix ans de vie montréalaise m'est

---

* Texte paru dans *Cahier pour un paysage à inventer*, n° 1, Montréal, 1959.

retourné. Comment n'a-t-on point vu, dans ces exhi-
bitions dérisoires, l'énorme caricature que je me ser-
vais?

Le cabotinage fut la seule solution possible à
mon mal; il faisait, par ailleurs, partie de mon plan, il
était un moyen d'action. Hélas, il n'a fait qu'empirer
les choses. Ce fut un échec. Ce fut aussi mon knock-
out poétique. Là aussi l'image (la métaphore) était
inventée, vue, et non pas vécue. Dans ces conditions,
la poésie devenait, en mon for intérieur, une fuite,
une voie d'évitement.

Je ne suis pas loin de croire que l'individu
Miron est une maladie. (Si un psychanalyste veut
m'entreprendre, à ses frais, risques et périls, qu'il
communique avec moi.) Ce n'est pas le fait de mon
cabotinage éhonté si je me trouve dans l'impossibilité
de ne parler que de moi, pas plus qu'il n'est question
d'égotisme. Il se trouve que, n'ayant jamais pu trans-
cender ce que je suis, la pensée n'est jamais parvenue
chez moi à émerger de ma matière physiologique et
psychique. Le drame, le mal, la maladie, c'est qu'il n'y
eut à aucun moment un effondrement de l'être.
Celui-ci fut toujours présent aux niveaux les plus infé-
rieurs de ses manifestations. Même privé de mes fa-
cultés intellectuelles, il était là, immanent et empiri-
que, donnant ou recevant les coups. Je souffre donc
d'une amnésie partielle ou intermittente de la pensée — non de la mémoire, laquelle enregistre fidèle-
ment, d'où l'atroce. Quand je m'essaie, comme tout
le monde, à la logique du raisonnement, comme à la
dialectique de la vie, de la poétique ou du dialogue
avec autrui, il arrive à tout moment que le courant

(électrique) vienne à me manquer. Ce sont les trous noirs de mon esprit (mon esprit, cette passoire), ce qui faisait dire à Gilles Leclerc, au cours d'une conversation où je titubais sur mes néants, que j'avais des taches solaires sur le cerveau. Je me rends bien compte, quand la lucidité réapparaît, que durant ces périodes il s'est passé du temps et des événements, intérieurs ou extérieurs, et que je ne suis plus de la même durée et du même réel que les autres, que l'interlocuteur du moment. (Et je ne parle pas de la difficulté, de l'impossibilité, en ces états quasi endémiques, d'accéder au mot, au verbe, à une articulation syntaxique qui est le fait d'une pensée distincte de sa matière sécrétoire et de ses instruments.)

Maintenant que vous avez votre note, maintenant que je suis fatigué et las de l'avoir écrite, et que j'en ai pour dix jours avant de m'en remettre, sachez que tout écrit de moi, autre que cette maudite note, qui paraîtrait dans ce cahier le sera contre mon gré. Si inconsistant que je sois. Malgré mes dénégations et mes revirements. Si agoniquement perpétuelle que soit ma pensée. (Si j'étais seul, s'il n'en dépendait que de moi seul, il en serait sans doute autrement.) Je veux encore ajouter: j'aime mieux mourir avec le plus grand nombre que de me sauver avec une petite élite, ou des élites qui ne seraient que qualitatives. Je le dis pour tous ceux qui ont la frousse constante de paraître béotiens.

Vendredi, 12 juin 1959
15 h 15 — 15 h 45

MA BIBLIOTHÈQUE IDÉALE*

Je ne vais pas vous parler d'un départ pour une île déserte et vous divulguer quelques titres de livres que j'apporterais le cas échéant, livres considérés comme essentiels et susceptibles de me nourrir pour le reste de mes jours. Pas nécessaire d'aller si loin, c'est quotidiennement que se pose pour moi ce choix vital, chaque fois que l'incoercible envie de lire me prend, dans le besoin immédiat où je suis de subsister sur ce plan. Il suffit de me retrouver seul avec moi-même, ou de passer un été comme celui-ci, à tournoyer dans mon chagrin, à constater l'échec de la communication depuis le début de mon existence, à chercher le moyen d'enrayer la fatalité de ces amours toujours défaites qui furent mon lot jusqu'à maintenant, pour m'avouer que chacun de nous est une île, et que nous n'allons que de l'un à l'autre sans jamais être tout à fait l'un et l'autre pour de bon.

Pour moi qui ai vécu sans relâche à bout portant, j'ai forcément lu ce qui me tombait sous la main. Je ne suis pas difficile. En effet, ce n'est que depuis relativement peu de temps que mes moyens pécuniaires me permettent de me procurer les livres que je désire. Aussi, les œuvres et les auteurs qui m'ont marqué, qui ont été pour moi l'occasion d'une prise de conscience ou d'une nouvelle orientation,

---

* Texte lu à Radio-Canada, le 16 septembre 1961.

ne sont pas toujours les grandes œuvres et les grands auteurs. Parfois ce fut un texte anonyme, un article de journal ou de revue, la lecture d'une enquête sociologique ou d'une interview, que sais-je encore. Mais chaque fois que j'en avais la possibilité, je dévorais tous les recueils de poèmes, les anthologies, les vers isolés, les meilleurs comme les plus mauvais. D'où mon goût du baroque, ou mon manque de goût, comme vous voulez.

Où veux-je en venir? Eh bien, au cours de mes lectures, j'ai ainsi acquis, à tort peut-être, le goût du relatif. L'œuvre absolue n'existe pas à mes yeux, c'est-à-dire une œuvre qui me soit aussi nécessaire et efficace à chaque période de ma vie. Comme pour le manger, quand on est pauvre on bouffe ce qu'on peut. Les œuvres sont disponibles et tout écrit est digne d'attention. Et s'il me fallait fuir sur-le-champ et que j'aie le loisir d'apporter avec moi quelques livres, ce serait ceux de quelques auteurs dont j'ai besoin dans le moment présent, à qui je m'identifie et qui formulent mes intuitions. De ces quelques auteurs que je veux vous présenter et dont la vie a des correspondances avec la mienne, avec ma souffrance et mon espérance présentes. Car je lis comme j'écris, pour m'exprimer et me construire, et aussi, selon l'une de mes vieilles obsessions, pour m'identifier en m'avouant. Est-ce donc me complaire en eux? Libre à une critique analytico-psychanalytique d'y voir, en mon cas précis, un certain masochisme et un goût douteux pour l'étalement. Qu'ont fait d'autre ceux qui se sont réellement exprimés et qui nous expriment du même coup? Ils ont passé outre à la fausse honte et à la fausse pudeur. Ils ont su nous révéler notre intimité la plus nue et notre destin vulnérable.

Au cœur de cet été, où la solitude me pèse et où j'ai mal en creux à n'en plus finir des suites d'un amour malheureux, Rutebeuf, Joachim Du Bellay, Paul Éluard et André Frénaud sont mes compagnons et ils figurent à jamais dans ma bibliothèque idéale. Avec eux je fais le point.

Il y a d'abord Rutebeuf, sa misère physique et morale, cette misère qui me ressemble. Non seulement l'œuvre de Rutebeuf me renvoie à moi pour les trois quarts de ma vie, mais elle présente également des analogies avec la chère société qui est mienne et les conditions de vie faites au pauvre monde. Cher Rutebeuf, mon contemporain. On ne sait rien des dates de sa naissance et de sa mort. Mais il est établi qu'il écrivit son œuvre entre 1245 et 1280. Une seule date précise: celle de son remariage, en 1261, avec une femme âgée de cinquante ans, maigre et sèche, nous dit-il, et qui, semble-t-il, lui reprochera sans cesse sa pauvreté. Néanmoins, dans ses pièces, notamment dans *Le mariage Rutebeuf, La complainte, La pauvreté, La griesche d'hiver et celle d'été*, il nous apprend ce que fut son existence. Toujours, dans les genres qu'il aborde, si variés soient-ils, il se confie, tantôt avec un accent douloureux, tantôt sur un ton de raillerie ironique à l'égard de lui-même, de ses déboires, des événements. Il est aux prises avec la misère, la faim, le froid, la maladie, les créanciers. La venue d'un enfant augmente ses charges. La malchance le poursuit: il perd un œil, celui avec lequel il voyait le mieux; son cheval se casse une jambe; son logeur lui réclame les arrérages de ses loyers. Il a honte de rentrer chez lui les mains vides. Il se plaint de son métier de poète, qui rapporte peu, et il se repent de sa passion du jeu qui lui fait perdre le peu d'argent qu'il gagne. Il fait état de ses déceptions, comme d'avoir perdu la confiance des siens et d'être considéré par eux comme un raté. Il n'a plus de bois, de meubles, de vêtements. Démuni de tout et assailli de toutes parts, Rutebeuf se demande «ce que sont ses amis devenus», il n'en voit plus un en son hôtel, et il médite sur leur inconstance. Les vers qu'il leur consacre, Léo Ferré les chante admirablement. Cependant son amertume n'est jamais méchante. Comme tous ceux de sa condition, c'est d'espoir qu'il se nourrit, ce carcan des pauvres: «L'Espérance des lendemains, ce sont mes fêtes.» Toute une partie de son œuvre fait revivre son époque. Dans *La chanson de Pouille*, il défend la politique des Croisades. Ailleurs, il fustige les bourgeois, il dénonce avec vigueur la plaie de l'Église en ce XIIIe siècle, la richesse du clergé, il prend partie pour l'Université dans la querelle qui oppose celle-ci aux moines. Toutefois, son anticléricalisme ne met pas en cause sa piété, les pièces *Le dit de Notre-Dame* et surtout *La repentance Rutebeuf* nous le montrent profondément religieux. Ainsi, relisant Rutebeuf, tout ce qu'il me dit de lui et des problèmes de son temps me concerne, car ma propre jeunesse fut marquée au coin de la pauvreté et de la faim, dans ce grand Montréal, et marquée aussi par le scandale à mes yeux d'un régime politique et d'une Église silencieuse, au point que j'en suis encore traumatisé. Comme poète, j'aime la voix de Rutebeuf, unique et émouvante. Il est le premier grand poète lyrique personnel de notre langue. Son don des images est inouï, et en ceci il nous rejoint, la poésie est rythme et images. La signification de certains de ses vers est immense. Et enfin, j'aime qu'il se soit opposé aux poètes courtois dont il a ridiculisé la conception mystique et abstraite de la femme, et qu'il ait puisé dans la langue populaire.

Bien que j'admire le grand Ronsard, j'ai toujours eu un faible pour Joachim Du Bellay, son ami, qui vécut de 1522 à 1560. Aux études, nous avons lu de lui *Défense et illustration de la langue française,* ainsi que quelques sonnets célèbres, entre autres: *Heureux qui comme Ulysse a fait un beau voyage.* Pourtant, c'est une biographie de lui par Francis Ambrière, que j'ai lue à vingt ans, qui me fit m'attacher plus particulièrement à Du Bellay, avec mon cœur dirais-je. Dans l'état d'âme où je suis présentement, c'est à quelques sonnets de *L'olive* et à tout le livre des *Regrets* que va ma prédilection. Je ne suis pas, car je me connais, sans me projeter en Du Bellay. Je fais mienne sa recherche du bonheur. Je me plains comme lui de la maladie physique. Je reconnais bien mes complexes à travers les siens. Je souscris à ses réflexions sur la vie, à ses espoirs et à ses désillusions. Comme lui, je suis un idéaliste vis-à-vis des femmes. Mais ce qui me touche par-dessus tout chez Du Bellay, c'est la sincérité dans l'expression de ses sentiments et de ses pensées, et la résonance toute moderne de sa solitude. Je suis en face de ma propre solitude, je suis sur mes terres, avec mes pauvres souvenirs, l'amour resté comme chez lui sans réponse, et ma peine. Son sens de l'amitié m'est cher. Dans plus de cinquante sonnets, il nomme ses amis, s'adresse à eux. Il en est de même pour moi cet été, ce sont les camarades qui me sauvent. Et j'entends la plainte de Du Bellay et me console en son intimité.

Paul Éluard est connu de tous, Éluard est l'une des gloires de la poésie contemporaine. Sa simplicité et sa limpidité élémentaires ont donné une transparence à la poésie française. En novembre 1946, Paul Éluard perdait brutalement sa femme, Nusch. Son désespoir fut grand. À la suite de ce malheur, il publia, l'année suivante, un recueil intitulé *Le temps déborde*. C'est aux poèmes de cet ouvrage que je m'attache au cours de cet été qui tourne et fuit. Encore ici je me projette. Je revis mon désespoir. Je me souviens du printemps et de la fille que j'aimais et qui m'a quitté. Le temps s'est arrêté. Plus que tout, j'ai la sensation atroce de n'avoir plus de raison de vivre, car l'amour est la seule valeur de plénitude dans ce monde actuel. La vie n'a plus de sel, mon métier ne me dit plus rien, même les amis ne peuvent rien pour moi et la poésie que j'écris, je la prends en haine. Et le mal que ça fait, une peine d'amour, un mal physique, c'est comme la fin du monde. Dans *Le temps déborde*, Éluard a éprouvé ces sentiments-là au plus haut degré. On se croit toujours seul à souffrir. Éluard n'a-t-il pas dit que la poésie était pratique? Aussi, le lisant, j'en reçois un enseignement. Je le vois évoluer des limites du malheur à la vie de tous. À son exemple, c'est dans cette direction que je m'engage, car je vis toujours. Pour trouver, comme lui, les camarades et une fraternité.

D'André Frénaud, qui est presque inconnu au Canada, il faudrait atteler le grelot à nos avant-gardistes, je dirai qu'il est à mon avis l'un des dix grands poètes vivants. C'est un poète de l'homme et du réel, un poète de la signification du monde et du sens de la vie. À travers la quête qu'il poursuit, cet avenir qu'il pressent, il ne sépare jamais la poésie des misères de la vie, du cœur, jamais des douleurs et des gestes habituels. Poésie située et poésie de la condition humaine. Je voudrais signaler aussi combien son langage poétique est proche de nous. J'ai découvert Frénaud vers 1953, par ce très beau livre qu'est *Les rois mages*, et immédiatement, je me sentis en accord plénier avec lui. Ses préoccupations, ses inquiétudes, son expérience de l'amour, sa révolte, son affrontement, ses interrogations faisaient écho en moi. Lui aussi est un homme d'engagement et d'amitié, un homme de lutte. Quelle ne fut pas ma joie de faire sa connaissance, l'an dernier, à Paris, par hasard. Je relis ses derniers poèmes, parus en 1960, sous le titre *Parmi les saisons de l'amour*. Leur lecture m'est bénéfique. Je finis de me réconcilier avec moi-même, avec la femme. Pour la première fois de ma vie, j'accepte qu'un amour soit périssable. Jusqu'ici en effet, la fin d'un amour dans ma vie était tragique, j'étais conduit à me détruire. Maintenant, je vois que tout amour dépose en nous ce qu'il a de meilleur avant de disparaître. Si l'amour fut vrai, s'il a vraiment existé, selon André Frénaud, comme une branche, la femme aimée, notre raison de vivre, reverdira dans un autre amour.

UN LONG CHEMIN*

Tout écrivain conscient de sa liberté et de sa responsabilité sait qu'il doit écrire souvent *contre* lui-même. Il doit gagner sans relâche sur ses passions, sur ses scandales, sur sa mauvaise foi et sur ses préjugés de classe (puisque les schèmes de la culture sont encore bourgeois[1]).

Quand les conditions objectives d'une action n'existent pratiquement pas, comme ce fut longtemps le cas ici, l'écrivain colonisé, lui, en plus de devoir gagner sur soi, écrit le plus souvent *contre* nature, et c'est pourquoi, tournant en rond dans sa situation impossible, la parole lui est atroce, douloureuse. À moins que, éludant sa situation et la problématique qu'elle pose, il ne se fasse transfuge, ou évadé de lui-même, ou objet de dérision ou d'autodestruction.

Cela m'est arrivé. J'ai cédé, de par la force des choses et par ignorance, à ces deux oscillations désespérées. Avec des retours de paludisme littéraire, encore aujourd'hui, tant m'ont marqué ces années.

C'est vers les années 1954-1956 que j'ai commencé de me percevoir tel que j'étais objectivement[2],

---

* *Parti pris*, vol. II, n° 5, janvier 1965.
1. Sartre, dans *Qu'est-ce que la littérature?*, a expliqué avec force cet aspect du travail de l'écrivain, dans le contexte plus vaste de sa situation dans la société et en liaison avec la fonction de la littérature.
2. Cette perception a d'abord été intuitive et située dans mon irrationalité.

sans complaisance d'abord (*La batèche*). La complaisance vint par la suite déguisée à mon insu sous la forme de la dérision; j'estimais alors que la dérision, dans mon isolement, devenait mon seul recours, ma seule arme. Je mis le meilleur de moi-même à détruire ma condition de poète, à me caricaturer, à me ridiculiser, voire en public. Volontiers ce mélange de honte et de haine que je ressentais à mon égard, à l'égard de ce que à quoi on me réduisait, je le retournais contre la poésie. Il n'y avait à mes yeux aucune commune mesure entre la condition de poète, qui me privilégiait pensais-je, et la condition humiliée de tous.

Quand j'eus commencé de me percevoir tel que j'étais objectivement, toute une part de ma réalité existentielle et concrète ressortit au phénomène colonial, phénomène qu'alors il était quasi impossible de saisir tant les apparences meurtrières et l'intégration subtile le dissimulaient[3]. La première fois que j'en-

---

3. Avant 1956, sous l'influence de *Cité libre*, il me semblait que tous nos maux provenaient du social. Duplessis, par son blocage, incarnait le mal absolu. Dans une large mesure, le diagnostic de *Cité libre* est encore valable aujourd'hui. Après 1956, cependant, il m'apparut progressivement que le duplessisme n'était pas la cause unique du blocage social, de nos manques, carences, corruptions, prétendues inaptitudes, mais aussi un effet de la structure *canadian* qui donnait lieu et place au système, comme ce fut le cas pour Taschereau et les autres avant lui, et comme ce le sera pour Lesage si le mouvement actuel venait à avorter. Certes, nous devons recouvrer nos vérité et réalité propres, bref notre personnalité, mais je n'abandonne pas le projet d'un

tendis pénétrer en moi le mot «colonisé», ce fut vers les années 1955 ou 1956. Un collaborateur de la revue *Esprit* en était à son premier séjour au Canada et comme, au cours d'une conversation, nous parlions du numéro spécial que cette revue avait consacré au Canada français quelques années auparavant, il me dit, entre autres choses et sans le faire exprès, que X... lui avait rapporté que Béguin, en lisant les textes manuscrits composant ce numéro, avait eu l'impression d'une résonance de «conscience colonisée». À cette époque, ce mot me scandalisa, mais il ne cessa de m'obséder par la suite[4]. Je me mis à regarder autour de moi, et en moi, avec d'autres yeux; je me mis à déchiffrer avec voracité ma réalité ambiante, à m'expliquer et à vouloir expliquer le monde dans lequel je vivais. Je me plongeai dans toutes sortes de lectures. C'est à cette époque, 1956, que je tentai une action politique au PSD. Cependant, mes résistances ne tombaient pas. Mais ce qui compte, c'est justement cette perception dont j'ai parlé; au fur et à mesure, elle se changeait en pierre d'achoppement, tout en me changeant. Je ressentais de plus en plus, à la lumière qu'elle faisait dans mon esprit, ma condition comme une humiliation et comme une injustice. Puis mes résistances reprenaient

—————

changement radical du social, et non pas seulement dans sa forme comme on le fait encore à *Cité libre*: une critique des défauts en vue de réformes et d'une purification de la structure existante.
4. À la réflexion, il me parut plus étrange que scandaleux. C'est plus tard qu'il me fit l'effet d'un scandale.

le dessus: on s'était sûrement trompé sur notre compte; ce n'était pas possible, non, tout mais pas ça. Cependant, elle m'expliquait en partie ma honte antérieure, ma rage, ma haine, desquelles je n'avais pu déceler l'origine: les explications traditionnelles étaient insuffisantes à en rendre compte.

Longtemps, donc, j'ai refusé d'admettre, tout en l'admettant malgré moi, que le phénomène colonial m'avait touché, en tout ou en partie. C'est alors que je devins, de 1956 à 1959, comme tout colonisé, un mythomane. Je me débattis comme un énergumène, dans une lutte intérieure épuisante, contre moi-même. Un jour, je proclamais que j'étais émancipé de tous nos tabous, de nos empêchements, de nos limitations et de nos bondieuseries[5]; que cette situation ne me concernait pas, moi, que je n'en souffrais pas, moi; que, moi, je m'en étais sorti du cauchemar dont je parlais avec Gilles Leclerc, s'il y avait à sortir de quoi que ce soit. En réalité, j'étais libre, mais seul, et à quoi peut bien servir une liberté en l'air? D'autres jours, sous l'évidence qui m'accablait à la suite de mon investigation, je me précipitais dans les abîmes de l'abjection, de l'ignominie, de la déréliction, bref avec toute la charge de mots d'une opération de rabaissement. La complaisance se montra de nouveau le nez, cette fois elle se présentait sous les formes de la fatalité et de la résignation, et la situation politico-économico-sociale me servait

---

5. Mon allégeance post-surréaliste en art me donnait l'illusion de cette émancipation et de cette liberté.

d'alibi. Côté poésie, j'invoquai, et le fis savoir avec amertume et cynisme parfois, des kyrielles de bonnes raisons en or pour ne pas affronter l'écriture. La paresse aidant, cela me faisait une belle bouille et des airs de martyr ou de héros falsifié. J'ai mis quatre ans à gagner sur moi, à m'investir d'une affirmation à partir de ma réalité objective: ma situation dans ce pays, qui est ma réduction au regard de l'altérité anglo-canadienne. Ma confrontation avec l'Europe, en 1959-1960, finit par vaincre définitivement mes résistances et mes doutes humanistes-démocratiques-pacifistes-universalistes-etc.

Une fois que j'eus assumé ma condition de colonisé, du moins la part en moi qui est colonisée, que je l'eus revendiquée et retournée en une affirmation, j'estimai, face à l'écriture, que la seule attitude convenable résidait dans le silence, forme de protestation absolue, refus de pactiser avec le système par le biais de quoi que ce soit, fût-ce la littérature. Je précise que cette prise de position m'est tout à fait personnelle et que je n'essayai pas de l'imposer, mon action en édition en fait foi. Le seul qui en était venu là, c'était Hubert Aquin, avec qui j'en ai parlé à l'occasion; il s'est d'ailleurs expliqué dans des textes irréfutables; son point de vue comporte des différences cependant. Je maintins cette attitude idéologique assez longtemps, avec de brèves rechutes de découragement et des démêlés nombreux avec moi-même: c'était un compte que je réglais avec la complaisance et cela regardait l'idée que je me faisais de la littérature, sa nature, sa fonction. Tant que les conditions d'une action commune n'existaient pas dans une praxis déterminée, je me trouvais justifié dans mon attitude. Je croyais que les conditions normales à l'existence et à l'épanouissement d'une littérature n'étaient pas réalisées ici: nous étions condamnés à une littérature d'en-deçà, de moribond. La perversion sémantique à l'échelle nationale en faussait la communication et la rejetait dans l'irréalité. Je crus que notre salut n'était pas que dans l'éducation, mais qu'il était *aussi politique*, les deux ne pouvant s'exclure. L'urgence m'apparut dans cette direction et j'y donnai à plein. Cette fois, l'accusation de complaisance vint du dehors. Dans une société aliénée à elle-même, à sa langue, donc à son potentiel humain, en plus de l'aliénation prolétarienne qui pèse sur l'homme en général, donc à son produit social, le travail, la force d'une revendication et d'une affirmation de sa reprise, de sa récupération, peut apparaître à plus d'un cher honnête homme comme une nouvelle complaisance et une solution de facilité, et surtout si cette affirmation se durcit dans un silence.

Ainsi, de 1954 à 1959, dans les moments où je gagnais sur moi-même, j'ai écrit les poèmes de *La vie agonique*, dans lesquels j'ai tenté de cerner et de définir mon appartenance et ma spécificité en même temps que ma relation au monde et aux hommes. Je m'efforçais de me tenir à égale distance du régionalisme et de l'universalisme abstrait, deux pôles de désincarnation, deux malédictions qui ont pesé constamment sur notre littérature. Y ai-je réussi? C'est une autre affaire, j'indique une démarche. J'essayais de rejoindre le concret, le quotidien, un langage repossédé et en même temps l'universel. Je reliais la notion d'universel à celle d'identité. D'autres poètes, parmi les meilleurs, s'étaient également engagés dans cette voie. Quant à moi, je refusais toujours de publier mes poèmes en livre, bien que j'aie consenti à les donner à des revues qui œuvraient dans une perspective d'indépendance, j'aurais fait, croyais-je, le jeu de ceux qui prétendent sans broncher que nous avons tous les moyens de nous réaliser en tant qu'être au monde de culture française (être nous-mêmes), dans le statu quo d'un système où aucune motivation socio-économique[6] ne vient rendre nécessaire la pratique de cette culture. À mon avis, un démenti était apporté à ces bonnes consciences et aux privilégiés en petit nombre, par l'état de l'instrument de cette culture: la langue et son langage qui sont la présence totale d'un homme au monde. Si cette présence est altérée dans son instrument, mutilée, aucun compromis n'est possible. Nous ne pouvons plus rendre compte de la réalité. L'homme, ici, dénaturé c'est-à-dire coupé de ses liens écologiques de droit, déculturé c'est-à-dire aliéné de sa culture, se trouve dans une situation coloniale: sa déshumanisation. L'état d'une langue reflète tous les problèmes sociaux.

Les réformes, en éducation et dans d'autres domaines, ne peuvent à elles seules restituer cet homme à lui-même, seul le politique peut le rendre complètement à son homogénéité, base d'échange des cultures. Seul, il peut garantir l'intégrité culturelle de la nation et la pratique de sa nécessité vers un plus être.

---

6. Selon l'expression de Maurice Beaulieu.

Nous vivons en 1965 et c'est là notre affrontement et notre voie: la naissance de notre collectif à la conscience mondiale. Comme collectivité nationale, nous avons vécu jusqu'ici d'expédients qui furent nécessaires, et d'une constante panacée, les solutions culturelles: messianisme, bon parler français, biculturalisme, et maintenant éducation. J'insiste sur ceci: je tiens pour essentielle et vitale la réforme en profondeur de l'éducation, mais son efficacité en sera compromise toujours tant que le politique n'en garantira pas sa nécessité et sa pratique. Il y a un choix fondamental: *être au monde*, selon une culture, c'est-à-dire une ontologie. En général, dans une nation et une société formées, ce choix est une donnée naturelle; sa remise en question n'affecte que des cas individuels. La survie démographique n'est pas une garantie, l'assimilation ça existe, de même que l'acculturation. Actuellement, nous avons besoin de plus que d'une langue maternelle pour nous épanouir, nous avons besoin d'une langue qui soit aussi natale. C'est par récupération que nous posséderons notre instrument de culture et que celle-ci pourra informer la réalité. Ce n'est pas le nationalisme qui importe, c'est la conscience nationale; celle-ci ne peut être vivifiée qu'aux sources d'une culture nationale.

Telles étaient mes vues et telles elles sont encore. En 1962, je persistais néanmoins dans mon refus de l'écriture et mon refus de publier, donnant la priorité à l'engagement politique et à la construction de l'indépendance. Je me trompais à demi. Les choses avaient changé. Je n'étais pas sans m'apercevoir que j'étais en contradiction avec moi-même et avec la situation galopante. Je jugeai durement mon attitude et m'avouai que je m'étais fourvoyé sur ce plan. Mon attitude n'avait et n'avait eu une valeur exemplaire que vis-à-vis de moi; pour qu'elle fût efficace, il aurait fallu que j'aie une réalité comme écrivain dans le grand public; or je m'étais nié d'une certaine façon; je n'avais de crédit que pour un petit cercle, du même avis que moi. D'autre part, la littérature n'est pas qu'une expression, elle est aussi un acte et son action un dévoilement de l'aliénation et son dépassement; elle aussi, en créant ses conditions propres, peut créer les conditions de son historicité. Publier devient donc un acte aussi probant que l'action politique.

Je me remis donc à courir mes milles de poésie. Je donnai à paraître *La marche à l'amour* et *La vie agonique*. Je me remis à écrire, péniblement, m'arrachant au sol, luttant contre la confusion qu'a engendrée dans mon esprit la dualité linguistique, dont je suis victime à l'égal de la majorité. Aujourd'hui, je sais que toute poésie ne peut être que nationale quand elle convient, bien entendu, à l'existence littéraire. Le plus grand poète politique de l'Espagne, c'est Lorca, parce qu'il exprime au plus haut degré le fait d'être espagnol et homme à la fois. La littérature ici, c'est ma conviction, existera collectivement et non plus à l'état individuel, le jour où elle prendra place parmi les littératures nationales, le jour où elle sera québécoise. Elle sera québécoise dans le monde et au monde. Pilon a raison contre Trudeau quand il affirme qu'à talent égal, on a des risques d'être un moins bon poète dans une situation de dépendance coloniale. J'en témoigne pour l'avoir ressenti existentiellement et concrètement, j'ai trop souffert dans ma tête.

Jusqu'en 1962, mon engagement avait été surtout d'ordre intellectuel. J'avais répugné à militer plus tôt, en raison des origines de droite des premiers mouvements d'indépendance: mon option socialiste m'en éloignait. En 1962, des hommes et des femmes de toutes conditions en étaient arrivés à un choix commun: la prise en charge de notre problématique dans l'indépendance. C'est en poussant jusqu'à ses conséquences logiques mon socialisme, et par les études d'analyse sur notre société, que je concevais maintenant l'indépendance non plus seulement sur les plans de l'ontologie et du langage, mais sur le plan politique. Des courants idéologiques de gauche aboutissaient au même point. J'étais acculé, ne pouvais plus me dérober. Je n'hésitai plus à les rejoindre et je poussai souvent, à mes risques, le compromis tactique. Mon engagement devait se traduire par des gestes de pair avec mon action en littérature et en édition: je participai à des meetings, des assemblées, des manifestations populaires. Bref, je suis un militant comme tant d'autres, je dépasse ma situation; car, si je me reconnais dans une situation de dépendance coloniale, ce n'est pas pour m'y complaire. Pour la première fois de ma vie, je suis en accord avec moi-même et avec une réalité à transformer jusque dans ses structures. Quand le phénomène colonial se manifeste, à quelque degré que ce soit, il réduit celui qui en est victime à sa menace. C'est pourquoi toute action, dans ces conditions, ne saurait être à mes yeux que radicalisante. Les facteurs subjectifs et objectifs doivent être radicalisés. Les événements dussent-ils nous vaincre dans l'avenir, je continuerai de penser que notre choix était justifié, et notre action. L'humanité s'en trouverait seulement un peu plus appauvrie dans les siens.

Pour terminer, puisque la littérature est «l'appel libre d'un homme à d'autres hommes» (Sartre), j'adresse quelques mots à certains de nos aînés immédiats avec lesquels nous divergeons ou qui sont carrément, à leur insu peut-être, nos adversaires les plus pernicieux parce qu'ils sont la négation de notre spécificité. C'est à la suite de durs et longs combats intérieurs que nous en sommes venus à notre choix, cela n'a pas été facile, ne l'est pas encore et ne le sera jamais même si notre choix s'impose; il n'est pas de tout repos d'être un homme libre et responsable, partout dans le monde. Il y a ceci: celui qui a souffert dans sa chair et son esprit d'une situation collective, et par voie de conséquence individuelle; celui qui dénombre en lui «l'homme carencé» d'un phénomène colonial aussi particularisé soit-il, en l'occurrence: ravages de la dualité linguistique, infériorisation économico-sociale, dépendance politique... (situation à laquelle le colonisé aliéné répond par la possession, ou le mimétisme, ou le repli sur soi), se perçoit davantage comme victime du phénomène et du système et sa revendication est d'autant plus virulente. Celui-là, de par sa prise de conscience, appelle une reprise et un devenir. Nous, écrivains colonisés, contribuons à cette prise de conscience. Toutefois, je sais que ceux qui s'en sont sortis par le salut personnel ou ceux à qui une situation de classe a évité le naufrage avec le grand nombre récusent l'affirmation des éléments conscients de ce grand nombre; ils sont enfermés dans une position exclusivement individualiste, caractéristique dominante de l'idéologie bourgeoise. Les assimilés, eux, la récusent encore plus violemment; à leur insu ou par conviction, ils ont adopté l'image que l'altérité leur renvoie d'eux-mêmes: leur spécificité est abolie en l'autre et pour se donner le change, ils n'en ont conservé que le pittoresque, frange où mord encore le mépris de l'autre. Cependant, les contradictions s'amoncellent pour les individualistes comme pour les assimilés. Devant l'émergence de l'authenticité et de l'efficacité retrouvées[7], ou ils se durciront et apparaîtront de plus en plus comme réactionnaires, ou ils dépasseront leur réalité subjective en se reconnaissant solidaires de tous[8].

---

7. Dans *Dépossession du monde*, Jacques Berque met en lumière ces couples de forces que sont «authenticité-efficacité», «nature-culture», «spécifique-général».

8. Au terme de ce texte, je me rends compte à quel point je me suis empêtré dans ma tentative de m'expliquer de façon rationnelle. Cela prouve combien je suis encore sous la coupe des ravages de notre système interne et du phénomène colonial qui s'y superpose.

De la langue

DÉCOLONISER LA LANGUE*

Quelle est la situation de la langue au Québec?

Je veux préciser que je ne suis pas linguiste. Lorsque je parle de langue, la mienne, la nôtre, c'est en relation avec un travail de parole et d'écriture qui est le mien comme écrivain. Mon propos découle davantage d'une réflexion sur la langue et d'observations sociolinguistiques que de l'étude de la langue en soi. En cours de route, soit pour communiquer, soit pour m'exprimer, j'ai pris conscience de carences linguistiques, de difficultés du même ordre, qui avaient provoqué des traumatismes et des conflits chez moi. C'est alors que je me suis remis en question non seulement dans ma pratique d'écrivain mais comme sujet parlant dans ma société. J'ai fait pour mon compte une sorte de procès de mon langage, et principalement de la langue qui est une modalité particulière du langage, qui est un instrument de communication dans sa fonction essentielle, de «compréhension mutuelle», dit André Martinet. J'ai cherché à comprendre comment la langue fonctionnait chez moi et quel était le fonctionnement de la langue commune à l'échelle de mon entourage et de la communauté. Peu à peu s'est imposé à moi le constat que j'étais devenu, pour une bonne part, étranger

---

* *Maintenant*, n° 125, avril 1973. Auto-interview.

à ma propre langue, que celle-ci subissait à mon insu l'intrusion d'une autre langue, en l'occurrence l'anglais. Je ne savais pas l'anglais, et cependant j'étais un unilingue sous-bilingue: je savais une centaine d'expressions toutes faites comme *Where is Peel Street?*, qui me permettent d'être fonctionnel et directionnel dans cette société. Quand je lisais: *Glissant si humide*, je croyais que c'était du français, je comprenais parce que en même temps je lisais *Slippery when wet*, alors que c'est de l'anglais en français, c'est l'altérité. Pendant dix ans, j'ai emprunté des centaines de fois les autoroutes sans tiquer au sujet de la signalisation: *Automobiles avec monnaie exacte seulement/Automobiles with exact change only — Partez au vert/Go on green*, etc., et j'ai constaté que des milliers d'usagers en faisaient autant. Un jour, j'ai ressenti un étrange malaise, presque schizophrénique. Je ne savais plus dans ce bilinguisme instantané, colonial, reconnaître mes signes, reconnaître que ce n'était plus du français. Cette coupure, ce fait de devenir étranger à sa propre langue, sans s'en apercevoir, c'est une forme d'aliénation (linguistique) qui reflète et renvoie à une aliénation plus globale qui est le fait de l'homme canadien-français, puis québécois, dans sa société, par rapport à sa culture et à l'exercice de ses pouvoirs politiques et économiques.

Cette situation existe-t-elle toujours?

Bien qu'intervienne une large prise de conscience et qu'il se trouve une praxis de reconquête, de récupération, les jeux ne sont pas faits. C'est, dans l'ensemble, toujours le statu quo, un statu quo qui s'enlise. Notre langue, comme outil de communication, et même d'expression, est toujours dans une situation prépondérante de diglossie. Ce terme désignerait une situation où une communauté utilise, suivant les circonstances, un idiome plus familier et de moindre prestige (le français) ou un autre perçu comme plus savant, plus recherché et prestigieux (l'anglais). Mais la situation est encore plus complexe car non seulement sommes-nous aux prises avec un idiome perçu comme prestigieux (l'anglais), mais à l'intérieur même des dialectes québécois et français certains voudraient nous faire adhérer à un dialecte lui aussi perçu comme prestigieux: le français international. Là encore, cette situation renvoie au statut du sujet parlant, l'homme québécois, son statut social dans la société *canadian,* et dans sa propre société où il est majoritaire. Pourtant sa langue n'est le signe d'aucune promotion sociale, d'aucune mobilité verticale, sauf dans les cas où la société québécoise constitue un marché. Il n'est relativement à l'aise pour sa communication que dans les domaines de l'intériorité culturelle: la religion, l'école, la famille, les services, les manifestations spécifiquement culturelles. Ces domaines correspondent d'ailleurs aux pouvoirs partiels dont il dispose à Québec, que ses pères ont durement négociés et payés par le passé, au prix d'échecs et de guérillas parlementaires, et sur lesquels il s'appuie pour résister, pour se survivre comme entité culturelle et linguistique distincte. C'est pourquoi les dialectes québécois sont toujours parlés tant bien que mal. Nonobstant ces pouvoirs, il y a longtemps qu'ils seraient devenus des enclaves folkloriques. Pour ce qui est de l'extériorité culturelle, l'ensemble de l'activité sociale, la communication de l'homme québécois lui échappe aux trois quarts, elle n'a pas de prise réelle, elle est refoulée continuellement vers le dedans. Il en vient à percevoir sa culture, et sa langue qui en est le produit, comme dévalorisées, pour usage domestique seulement. La notion même de culture est assimilée au fait de savoir la langue de l'autre pour accéder aux valeurs dominantes; combien de fois ai-je entendu cette phrase: «Il est instruit (ou cultivé), lui, il sait l'anglais.» Dans ces conditions, on s'en sacre de dire cheval, joual, ouéoual... puis les campagnes de bon parler, puis «bien parler, c'est se respecter»... ce qui compte, ce qu'il faut dire, c'est *horse*. Et depuis 1969, tout peut suivre: l'école anglaise. L'homme québécois n'est pas à blâmer pour cette situation, il n'a pas à rougir non plus de sa langue commune qui se dégage de l'ensemble de ses dialectes, qui tient le coup. Les responsables, ce sont les élites politiques et bourgeoises en collusion avec la minorité possédante *canadian* du Québec et le centralisme d'Ottawa, qui le maintiennent sur son propre territoire dans un modèle de société coloniale infériorisant.

Quels effets une situation de bilinguisme collectif, ici, a-t-elle sur la langue?

D'ordinaire, l'idée de bilinguisme suppose que quelqu'un manie avec aisance deux langues nationales. Si on étend cette idée à deux communautés linguistiques, ça impliquerait idéalement deux langues de statut identique, d'égal prestige et sur un pied d'égalité, qui seraient pratiquées indifféremment sans qu'il y ait concurrence ou conflit. Tel n'est pas le cas. Soit il s'agit de deux langues de statut identique, complètes, mais l'une, l'anglais, dans le système *canadian* est perçue comme prestigieuse et on ne peut dire que l'autre est sur un pied d'égalité. Il s'agit au départ d'un bilinguisme structurel qui oblige le seul Québec, et s'étend collectivement à la communauté québécoise. Du côté *canadian*, seuls les organismes et services fédéraux sont officiellement bilingues; le bilinguisme, hors cette structure, ne sera le fait que de cadres (au Québec surtout) et d'individus motivés par des fins culturelles. Du moins dans le statu quo actuel. Mais les élites coloniales entretiennent le mythe d'un bilinguisme collectif et idéal, dont les séductions ne jouent qu'au Québec, par une série de mystifications et d'arguments terroristes, du genre «nous sommes entourés de 250 millions d'anglophones», etc. Il va falloir crever toutes ces balounes. La langue ici n'échappe pas à la condition globale de l'homme québécois. La langue ici opère dans un contexte global issu d'un colonialisme qui se prolonge dans des structures semi-coloniales. La langue, au même titre que l'homme québécois, colonisé, est une langue dominée. J'entends par là que, socialement, dans de larges secteurs de sa communication, la langue du colonisateur se superpose à la nôtre ou la recouvre. Peu à peu il y a érosion de notre langue par celle de l'autre; toutes sortes de symbioses linguistiques peuvent en résulter. Parfois ce n'est plus une langue qui fonctionne, c'est une langue en fonctionnement, en distorsion, tant bien que mal. Prenons, entre mille exemples, celui que je citais tout à l'heure: *Automobiles avec monnaie exacte seulement/Automobiles with exact change only*. Si on retire l'anglais, ce «français» perd toute signification; il n'a de sens qu'en fonction de l'anglais qui est à côté. Ce «français» n'a plus d'autonomie, il ne fonctionne pas par son propre système de signes, son propre code. Il n'a pas de référent non plus (la réalité du monde à laquelle renvoie le langage), son référent c'est l'autre langue qui, elle, établit le rapport avec la réalité. C'est dominé et déréalisé. De toute façon, dans le système *canadian*, c'est nous qui devons toujours traduire, car ce n'est pas au tout d'apprendre la langue de la partie. Dans ces conditions, la langue québécoise risque de devenir une langue traduite; c'est déjà fait dans certaines strates de langage. Une langue alors passive, qui subit les conditions linguistiques de l'altérité, qui n'invente plus, ne crée plus, ne s'adapte plus suivant ses nouveaux besoins et ses exigences. Elle n'évolue pas de par son propre dynamisme interne. Dans cette situation de bilinguisme et cet environnement de traduction massive et quotidienne, il serait étonnant que la langue ne subisse pas d'influences déformantes. Mais, dans l'ouvert et le fermé d'une langue, les facteurs de résistance, de rejet, d'assimilation ne sont pas négligeables. Celui qui dit: «*Mon dome light est locké*» ou «*Y a eu un storm hier*» ou «*Le dispatcher m'a donné ma slip pour aller gaser*» parle québécois, la phrase demeure fidèle au système de la langue, on ne constate qu'une insuffisance de vocabulaire qui s'explique sociologiquement. Ce genre de frottement, de contact avec l'autre langue, est assez superficiel. Ça ne va pas plus loin que l'emprunt lexical, souvent l'emprunt est transitoire ou assimilé. Ce qui est plus grave c'est une influence qui crée un type de symbiose subtile et pénétrante, et qui attaque le système syntaxique. Il me semble que la langue parlée est moins atteinte que la langue écrite. Exemples: *Ne dépassez pas quand arrêté, Saveur sans aucun doute, Pharmacie à prix coupés.* Ce n'est pas, comme certains le prétendent, une langue nouvelle, ça. C'est la communication de l'autre dans nos signes; la langue de l'autre informe notre langue de ses calques. Les chasseurs d'anglicismes lexicaux ne trouveront pas un traître mot d'anglais là-dedans; pourtant c'est de l'anglais en français. La communication de notre langue dé-fonctionne là-dedans sous l'effet du code de l'autre. Ça produit du non-sens, ou un sens autre que le sens que ça devrait produire. Ce charabia, puisqu'il faut l'appeler par son nom, on le trouve partout, dans la signalisation, les textes juridiques, la vie sociale (travail, administration, publicité, commerce...). Je viens de lire un contrat rédigé par une compagnie de cinéma. C'est inintelligible; il faut recourir au texte anglais pour ne pas se faire avoir. J'ai en archives des tas de circulaires envoyées à des catégories de personnes; et que dire de l'affichage, des fameuses «directives» (mode d'emploi) sur les étiquettes des produits: le charabia est présent. Le fait qu'un grand nombre de scientifiques, professionnels, techniciens fassent leurs études en anglais, le fait d'une plus grande scolarisation anglaise des enfants québécois contribuent à multiplier cette «langue de calques». Dans la prise de conscience globale qui a lieu aujourd'hui au Québec, il se trouve le sentiment que la langue est menacée. C'est grave, mais là n'est pas la vraie menace, le nœud. Ce qui menace la langue québécoise, mais radicalement! c'est d'être frappée peu à peu d'inutilité, de perdre tout caractère de nécessité. Dans le grand tout *canadian*, notre rapport de forces proportionnel va décroissant. D'autre part, notre présence politique demeure faible, tandis que les pouvoirs de l'infrastructure, qui parlent anglais, sont de plus en plus insistants, et en l'absence d'un vrai pouvoir politique ce sont eux, à toutes fins utiles, qui tiennent lieu de souveraineté dans la situation.

Comment changer cette situation?

D'une seule façon. Actuellement, la menace de cet état de choses n'a jamais été aussi grande et en même temps la prise de conscience et la conjoncture n'ont jamais été aussi propices pour le changer. Urgence de se décoloniser. Et ce faisant, la langue va aussi se décoloniser. Dans le statu quo, on ne peut agir directement sur la langue, on ne fait appel, comme c'est le cas, qu'à des motivations qui ne touchent que des individus. Mais, si on change la situation globale qui conditionne le fonctionnement de la langue, la langue va se récupérer d'elle-même sur un laps de temps *x*. L'apprentissage et la pratique vont devenir des motivations profondes. La langue va fonctionner de par son propre système de signes, son propre code, et dans l'inter-influence et les échanges que les langues exercent entre elles, elle va vivre comme homogènes les éléments hétérogènes dans ses propres structures. Ce qui fonde la légitimité d'une langue c'est, bien sûr, qu'elle est parlée; mais, si elle veut accéder à un statut de langue nationale, c'est son caractère de nécessité. C'est la politique qui garantit et crée les conditions d'exercice d'une culture et de son outil de communication, la langue, sur un territoire donné. Quant à l'infrastructure, même si on ne peut la récupérer pour le moment qu'en partie, c'est encore la politique qui peut la conditionner et la faire agir en québécois. On n'a qu'à voir ce qui se passe dans des pays où l'économie est investie par l'étranger parfois à quatre-vingts pour cent: ces capitaux sont contraints d'agir dans la structure nationale.

On parle de langue québécoise. Est-ce que ça existe, d'après vous?

S'il y a un peuple québécois, une culture québécoise, s'il y aura bientôt, j'espère, une dimension politique à cette culture qui fera qu'on sera non plus seulement au monde, mais dans le monde, il existe bien sûr une langue québécoise. Cette désignation est même importante dans l'affirmation de notre identité, notre différence au monde. Mais par quoi se caractérise cette langue? Globalement, je dirais que la langue québécoise n'est pas spécifiquement québécoise dans sa dénotation (langage premier d'information pure), sauf pour des séries lexicales assez restreintes d'ailleurs. À cet égard, elle demeure dans la famille du français, une variété de français. Il y en a qui prétendent et prêchent que nous ne parlons plus «français», que nous parlons une autre langue, ou que nous sommes en train de créer une nouvelle langue! Ces affirmations défient toutes les observations linguistiques. Au plan de l'expérience, il n'y a pas de difficultés insurmontables de compréhension immédiate entre un Français et un Québécois, moyennant parfois un ajustement qui se fait vite, de part et d'autre. Il ne faut pas dérailler. S'il était vrai que nous parlions une langue vraiment autre, si les dialectes québécois ne renvoyaient plus au système commun du français, nous ne pourrions pas lire de livres français, lire de revues françaises, ni voir même des films français, etc. L'expérience nous apprend que tel n'est pas le cas. De toute façon, je crois qu'un linguiste, Gilles Des Marchais, a écrit des choses concluantes à ce sujet, dans un article paru dans *Parti pris* intitulé «Défense et illustration du québécien». Pour ce qui me concerne, globalement, là où la langue québécoise est spécifiquement québécoise, c'est dans sa connotation (changements ou extensions ou glissements de sens, surfaces sémantiques, coefficients affectifs et expressifs, charges lexicales).

Et le joual? Y a-t-il des œuvres qui l'illustrent?

Il y a beaucoup de confusion autour de ce terme, on ne sait plus très bien ce qu'il recouvre. Pour le moment, le problème n'est pas là, il n'est pas entre les dialectes québécois. Il se situe entre la langue québécoise commune et l'anglais, dans leur symbiose, c'est-à-dire la présence du système de la langue de l'autre, par ses calques, dans la mienne, qui fait que cette langue est «empêchée» dans son autonomie, sa souveraineté! *Of horse!* Politiquement, situer le problème entre nous, poser l'alternative suivante: faut-il dire cheval ou joual? c'est une opération de diversion pour le moment; pendant qu'on se pogne là-dessus, le mot *horse* dans la communication bicéphale *canadian* se répand partout. L'alternative juste est la suivante: faut-il dire *horse* ou tous les autres: cheval, joual, ouéoual, etc.? Sinon, à longue échéance, on risque de dire ni l'un ni l'autre. Qu'on dise un arbe, âbe, un arbre, tant qu'on ne dit pas *tree* on parle québécois. Cela étant dit, un créateur a toute liberté d'utiliser tous les niveaux de langue séparément ou en même temps, pour créer une œuvre. Mais une œuvre, si géniale soit-elle, ou un ensemble d'œuvres qui relèvent de critères esthétiques et où viennent se greffer des structures de la langue littéraire, ne sauraient être LA langue commune. Il y a présentement un mouvement qui fait d'un corpus d'œuvres une proposition de langue, qui nous dit que c'est comme ça qu'on parle. Cette attitude est complètement absurde du point de vue linguistique. Dans le même esprit, je conteste le postulat suivant que j'entends et lis souvent: la langue qu'on parle, c'est ça notre langue. C'est archifaux. Martinet écrit: «Aucune communauté linguistique ne peut être considérée comme composée d'individus parlant une langue en tous points semblable.» Et sur le territoire québécois, il se

217

LE BILINGUE DE NAISSANCE*

Je suis né à Sainte-Agathe-des-Monts, P.Q. Il y avait déjà un bon nombre de résidents anglophones à longueur d'année. L'hiver, j'avais l'impression d'être relativement chez nous. Mais l'été, la densité démographique des anglophones augmentait dans la proportion de trois à un, ils se rendaient maîtres de la place et des environs. D'inévitables heurts survenaient, qui n'allaient pas jusqu'à l'affrontement, en vertu d'un obscur sentiment d'inégalité; je les subissais plutôt, parfois avec une rage rentrée ou avec ambivalence pour ces gens si sûrs d'eux, de leur expression, de leurs biens et argents. Mais de façon générale, fidèle en cela aux attitudes et comportements que le groupe m'inculquait, je m'arrangeais pour écarter tout incident désagréable avec les anglophones. Il fallait se montrer empressé, respectueux, poli, ne pas leur déplaire, car ils représentaient une mine d'or comme clientèle et employeurs. Aussi, j'évitais le plus possible les lieux de leur présence. Ils m'étaient un autre monde, c'était le dehors. Intérieurement je percevais ce dehors comme hostile et agressant. Je n'étais à l'aise que dans l'entourage immédiat de *la famille*, de *l'école*, de *l'église*, dans l'aire du groupe, quoi! ces lieux du repli culturel, du dedans, et qui correspondent aux trois seuls pouvoirs

_____

* *Maintenant*, n° 134, mars 1974.

majeurs que le Québec possède en entier (de plus en plus envahis), les autres étant mixtes ou relevant du pouvoir fédéral central.

C'est dans cette situation que, dès mon plus bas âge, j'ai pris conscience que tous ne parlaient pas la même langue que moi dans ma petite ville, la même langue que les Canadiens français. Ce constat peut paraître banal, mais dans le cerveau de l'enfant que j'étais alors (et j'ai observé les mêmes effets, quoique atténués, chez ma fille vers quatre ans), j'en pris conscience avec étonnement d'abord, puis le phénomène me sembla plein d'étrangeté. À mesure que j'étendais mon champ d'exploration et que je grimpais en âge, je m'apercevais d'un certain nombre de choses: mes rapports avec moi-même et le milieu, sur le plan linguistique, devenaient de plus en plus complexes et ambigus. Les réalités que je subissais, qui m'imprégnaient, que j'essayais d'accepter et d'investir avec bonne volonté sous la pression du milieu, et en partie que je refusais inconsciemment par ailleurs, allaient me causer des traumatismes dans l'apprentissage de l'anglais et des langues en général. J'étais tiraillé, tantôt en état de béance, tantôt en état de bagarre avec l'autre langue. La nécessité dont on m'avait convaincu d'apprendre celle-ci, le désir que j'avais de la savoir, les efforts que j'y apportais, tout cela se heurtait paradoxalement à mon inaptitude pour elle et provoquait chez moi un sentiment d'insécurité pour ma propre langue, car la pression du milieu, dans le même temps, me bardait de défenses:

ne pas perdre sa langue, la conserver, la bien parler. L'autre langue me devenait opaque. Elle s'installait en moi, dans son absence, comme une obsession. Longtemps, jusque vers ma vingt-cinquième année, j'ai ressenti comme un manque et une infériorisation le fait de ne savoir l'autre langue qu'approximativement. Je suis persuadé aujourd'hui que la question linguistique fait partie comme le reste de la névrose canadienne-française face à l'Autre (entendu comme altérité).

En vécu sonnant, quelles sont ces réalités, tant subjectives qu'objectives, qui sous-tendent la psychologie, que je ne fais qu'esquisser, de l'espèce de bilingue *sui generis* que je suis? Il y a d'abord ceci: dans les années trente-quarante, et cela génération après génération, la langue que nous croyions parler s'appelait encore le français. D'ailleurs, la seule identité que je/et nous/me connaissais, c'était d'être Français et/ou Canadien français et catholique. Je note que ces signes d'identité n'étaient que des composantes d'une identité plus globale, mais alors je les percevais comme le tout de l'identité, alors qu'en fait ils me définissaient comme négativité, exclusivement comme différence et non comme dynamique, par opposition à l'autre qui était anglais et protestant; ils ne renvoyaient qu'à une vague notion d'ethnie, et non à un concept d'identité globale qui est celui de la culture-québécoise-comme-projet-aujourd'hui. Dans ces conditions, que l'anglais altère ma langue, qu'à la limite je la perde, équivalait à me mettre en danger comme identité. Dans mon blocage vis-à-vis de l'anglais, qui a duré longtemps, il entrait donc une attitude d'être sur le qui-vive, ajoutée à un élément de culpabilité inconsciente. Au cours des années, les choses allaient se compliquer encore et m'entraîner, par rapport à l'idée que je me faisais de moi-même et de mon groupe, et en rapport avec ma propre langue, dans un processus de dévalorisation et de confusion: j'ai connu des états où je ne savais plus qui est qui, et qui parle. Le salut m'est venu par la révolte, aux alentours de 1953-1956, qui me conduisit à me redéfinir radicalement.

Des souvenirs pêle-mêle me viennent, qui ont agi pendant vingt ans comme phénomènes sur ma sensibilité et ma conscience. Dès que j'ai pu me rendre compte du monde extérieur, je trempais dans un environnement linguistique à prépondérance anglaise et bilingue, le français étant réservé à l'usage domestique. Ce chevauchement des deux langues, plus exactement d'une langue sur l'autre, finissait par composer une trame indifférenciée, les mots allaient par couples et ces paires de signes me saisissaient comme un seul signal. *Door*/porte, *pull*/tirer, pont/*bridge*, *meat*/viande, lundi/*monday*, péage/*toll*, *men*/hommes, *address*/adresse, merci/*thank you*, bienvenue/*welcome*, etc. Et j'étais cerné par l'affichage, l'annonce, la réclame. Le monde était tel, pensais-je. Il l'était aussi à Montréal lorsque j'y arrivai en 1947, il l'était à l'échelle de la province. Dans la rue, à Sainte-Agathe (les rues Principale, Saint-Vincent, Tour-du-

Lac), j'entendais parler anglais plus souvent qu'autrement, je voyais des Canadiens français se débattre du mieux qu'ils pouvaient dans cette langue, commerçants, hommes d'entretien, tous déférents. Certains en étaient fiers, d'autres moins, je le sentais. J'entendais déjà de partout ce que j'ai entendu pendant des années au cours de mes résidences et mes déplacements: «untel, il se débrouille bien en anglais», «regarde untel, il a une bonne *djob*, il sait l'anglais», ou sa variante: «il est cultivé, lui, il sait l'anglais», «c'est un parfait bilingue», etc. De tels propos ont encore lieu aujourd'hui, avec ce que ça comporte d'envie et de regret. Plus tard, à Montréal, j'entendrai quelque chose qui va plus loin, à maintes reprises: «moi, je parle tellement bien anglais que quand je suis avec des Anglais ils ne peuvent pas s'apercevoir que je suis un Canadien français», ou quelque chose d'équivalent. À vingt-cinq ans, quand j'ai commencé à réfléchir sur ces propos et leur signification, je trouvais déjà anormal que la notion d'instruction ou de culture soit assimilée au fait de savoir la langue de l'autre, mais de se prendre pour un autre, d'avoir honte de soi, m'apparaissait comme le boutte de la marde.

Dans ma parenté, plus que dans ma famille, l'anglais jouissait d'une «opinion avantageuse». Et pourtant on se scandalisait qu'un de mes oncles ait viré de bord et soit passé à l'anglais; de mes deux cousins, un seul sait encore un peu de français. Mon père était un homme de principes et tenait à ce que nous ne dérogions pas à notre langue et à notre foi. Mais il était victime des contradictions issues de sa condition et de sa situation. Entrepreneur de menuiserie, sa clientèle était en grande partie anglaise. Or, il se débrouillait avec peine en anglais. Un jour où j'avais été témoin d'une explication pénible entre lui et une riche cliente, il me dit, une fois qu'elle fut partie: «Toi, au moins, j'te dis que tu vas l'apprendre l'anglais.» Cela marque, à huit ans. Il m'emmenait souvent sur les lieux de ses chantiers, nous allions en visite du côté de l'Archambault, de Saint-Faustin, de la Tapini au bout du monde, partout, et lorsqu'il était question de travail ou de l'avenir des enfants on aspirait à nous faire apprendre l'anglais et ceux pour qui il était trop tard regrettaient de ne pas l'avoir appris comme pour nous inciter à le faire. Décidément, cette langue était la *first one*. En 1962, Jacques Ferron présentait dans la revue *Situations* les devoirs d'une cinquième année de garçons (de neuf à treize ans), en banlieue de Montréal: «L'institutrice avait remarqué que ses flows, volontiers distraits, retrouvaient leurs esprits et prenaient vie pour l'anglais. Cela l'intriguait. Un jour, c'était l'heure de la composition française, elle leur dit: classe d'anglais. Eux, surpris de ce changement au programme, de manifester leur joie. — Vous aimez donc la langue anglaise? — Oui! — Eh bien, dites-moi pourquoi dans une composition. On va voir si vous avez de bonnes raisons...» Ils avaient, à une exception près, tous fait état de leur désir d'apprendre l'anglais en invoquant son utilité, sa nécessité, sa sociabilité. Et Ferron conclut: «C'est curieux [ces réponses], elles nous font penser à l'Algérie française. Ces enfants sont peut-être à leur manière des petits bicots.» Dans *Le Devoir* du 29 janvier dernier on lit cette nouvelle: «Les étudiants au secondaire visent bilinguisme et anglais langue seconde.» Quand tout un peuple en arrive à n'avoir comme idéal que d'apprendre la langue de l'autre, quelque chose ne tourne pas rond, c'est même plutôt aberrant. Il y a des chances que la langue de l'autre soit la langue première, celle de la nécessité, et que la formule «anglais, langue seconde» ne soit qu'un artifice de rhétorique dont se gargarise M. François Cloutier, qui s'en porte bien. Ce symptôme, entre autres, allait conduire autour de 1956 à la mise au jour progressive d'une aliénation plus globale, de type colonial. La situation coloniale opère une sorte de renversement des rapports, qui nous fait adopter le point de vue de l'autre sur nous-mêmes et notre langue, où tout ce qui est l'autre est valorisé à notre détriment, et c'est ainsi que nous sommes en train de mettre en œuvre notre propre acculturation.

À l'époque, l'école était à la fois championne du Bon Parler Français et championne du bilinguisme. D'une part, on nous apprenait à nous méfier des anglicismes, des termes anglais ou para-anglais, des tournures syntaxiques qui déteignaient de l'anglais sur notre langue, et, d'autre part, on nous vantait les avantages du bilinguisme, c'est-à-dire de l'anglais. J'ai appris dès le primaire qu'«un bilingue en vaut deux» (*sic*), qu'«un bilingue est un homme supérieur», qu'«un bilingue participe à deux cultures».

Ouais! dans ma vie, effectivement, j'ai constaté qu'un Canadien français est obligé d'être deux fois ce qu'est un autre pour obtenir le même emploi; qu'en bons bilingues «supérieurs» nous occupons toute la gamme des emplois et postes subalternes; qu'en général les bilingues d'ici ne sont pas pour autant plus cultivés que les unilingues que j'ai rencontrés ailleurs: ils sont seulement plus mêlés! À y penser avec recul, le bilinguisme de ce temps-là et jusqu'aux alentours de 1960 était plutôt dérisoire et complètement inefficace, contrairement à celui qui sévit à présent, de plus en plus scolarisé, institutionnalisé et encadré d'une politique de langue seconde. D'anglais, nous n'avions qu'une demi-heure par semaine à compter de la cinquième année, et la plupart d'entre nous quittions l'école après la septième ou neuvième année. L'anglais, nous l'apprenions par bribes dans la rue mais surtout à la sortie de l'école, soit au travail pour le grand nombre, soit à l'école du soir pour les plus ambitieux, pas plus qu'il ne faut cependant pour fonctionner. Nous devenions comme nos pères des bilingues de *cheap labor*, seules des élites accédaient à un bilinguisme plus professionnel ou plus culturel. Hier inefficace et déculturant, aujourd'hui acculturant, serait-ce que l'accès au bilinguisme s'effectue dans des conditions anormales? Au reste, dans les années d'après-guerre, c'est ma langue même qui me donnait du fil à retordre, au point même de mettre en doute sa légitimité. Parce que j'étais investi par la société de l'autre et la grande culture française, cela me fit un choc, la première fois, de me faire dire par des anglophones que je ne parlais pas le vrai français de France, puis la même chose par des Français eux-mêmes! Les fois d'après, je commençai à comprendre de quoi il en retournait. Enfin, nos élites, pour se donner le change, nous accablaient, prétendant que nous parlions mal, avions la bouche molle, manquions de vocabulaire, bref que nous bêlions une langue de sacrures et une sorte de sabir. J'ai mon idée pourquoi les élites canadiennes-françaises en place, presque toutes fédéralistes, conservatrices sinon réactionnaires, tiennent tant à «leur» français international: elles ont le sentiment, elles qui vivent en symbiose, que c'est un équivalent de l'anglais, et elles compensent! Or, dans leur boursouflure, quelle ironie, elles en viennent à ne parler qu'une langue de calques. Le peuple québécois, lui, a compris qui maintient sa structure de langue dans ses adaptations, ses emprunts et ses *créations*.

Il arrive que le système du bilinguisme dévoile sa violence à sens unique. En 1966, je me cherchais de l'ouvrage et touchais des prestations de l'assurance-chômage. Un jour, on me convoque et l'agent de placement, un Canadien français, me fait part d'une offre d'emploi. «Vous savez l'anglais? me demande-t-il, car la compagnie exige un bilingue et vous devrez travailler en anglais la moitié du temps. — Bien, que je réponds, je me débrouille mais pas assez pour accepter; de toute façon, je veux travailler en français. — Voyons, qu'il reprend, vous savez bien qu'il faut l'anglais pour travailler. D'après votre dossier vous êtes un gars instruit et qualifié, pourquoi pas vous inscrire dans une école de langues et nous continuerons de vous verser vos prestations en attendant?» Je lui dis: «C'est pas la question, comprenez-moi bien, ça ne m'intéresse pas de travailler en anglais. — Comme ça, qu'il réplique, vous ne voulez pas travailler; dans ce cas on peut pas continuer à vous payer vos prestations.» Je réplique à mon tour: «C'est mon droit le plus strict de travailler dans ma langue dans mon pays. — Bon, ça va», dit-il, voyant qu'il n'aurait pas le meilleur, l'ayant menacé de porter l'affaire en public. Après l'entrevue, j'étais en varlope! Non mais c'est pas une forme de coercition, ça? exercée par la pression socio-économique anglophone? Cette coercition-là, nos dirigeants trouvent ça normal... et aussi toute une population qui en est victime. Mais, dès qu'il s'agit de coercition pour faire du français la langue officielle, ils ne trouvent pas ça normal. Serait-ce que Bourassa, Cloutier *et al.* sont des colonisés «grand format famille»?

Nous y sommes: le fédéralisme de force, le bilinguisme de force. Quoi qu'il arrive par la suite dans sa vie, qu'il apprenne l'anglais ou qu'il ne l'apprenne pas, le Canadien français est, dès le premier instant de sa naissance, un bilingue. J'insiste: même s'il n'apprend pas l'anglais, il l'est à son insu ou malgré lui, il l'est de par la structure pancanadienne, sa communication sociale et son environnement linguistique. Aux termes de l'A.A.N.B., la loi qui nous tient lieu de Constitution, il est pour ainsi dire *programmé*. C'est inscrit dans sa définition culturelle globale. D'où que, par un glissement de pensée, plusieurs en viennent à croire, parce qu'ils essentialisent l'idéal du bilinguisme comme le fait le système, qu'*être bilingue* est une nature, une fatalité qui leur échoient à la naissance; ils ne peuvent se concevoir autrement et il leur apparaît que c'est une composante intégrante de leur peuple, pour le meilleur et le pire. Voilà donc le bilingue structurel et collectif: il sait par obligation la même deuxième langue que tout le monde sur son territoire. Cet état de choses pourrait se transformer en une force réelle dans une situation de souveraineté qui créerait d'autres conditions et motivations d'apprentissage de la langue seconde. Pour notre malheur, le bilinguisme dont nous sommes affligés coïncide, comme le note Aquin, avec le bilinguisme international: celui de chacune des autres langues avec l'anglais. Ce phénomène constitue la difficulté de saisir, dans une situation coloniale qui produit déjà de la déculturation, combien le bilinguisme *canadian* tel qu'il fonctionne est néfaste et encourage l'acculturation. Lorsque j'en fais part à quelqu'un, il me répond quelque chose du genre: «J'ai été partout en Europe et partout les gens parlent anglais.» Il est certes souhaitable qu'un homme parle une deuxième langue, voire plusieurs. Mais celui qui apprend l'anglais dans un pays unilingue, sauf s'il fait partie des cadres supérieurs ou s'il est directeur d'une société multinationale, ne travaille pas huit heures par jour dans cette autre langue, non plus que ses compagnons, et il ne met pas en danger l'existence de son groupe. Son bilinguisme lui sert, dans ses rapports nous sommes en Amérique du Nord, nous sommes entourés de 250 millions d'Américains, l'anglais est indispensable, il fait partie de la compétence, la technologie parle anglais», etc. Par ailleurs, nous assistons à un déferlement publicitaire sans précédent nous conditionnant à devenir bilingues. Écoles, laboratoires, instituts nous inondent de prospectus, de dépliants, d'annonces dans les journaux et les médias, de slogans. Jusqu'au ministère de l'Éducation qui offre des bourses pour l'étude de la langue seconde! On sait laquelle! Ce lavage de cerveaux submerge toutes les velléités de nos rois nègres qui continuent de parler de politiques d'incitation et de concertation pour faire du «français la langue prioritaire et de travail». Ils manifestent ainsi leur indigence et leur incompréhension en matière de langue et de culture, à moins qu'ils ne soient de mauvaise foi, ce que je crois. Qu'est-ce qu'une langue? «Le langage est une institution collective dont les règles s'imposent aux individus, qui se transmet de façon coercitive de générations en générations depuis qu'il y a des hommes et dont les formes particulières (ou langues) actuelles dérivent sans discontinuité de formes antérieures.» (J. Piaget, *Le structuralisme.*)

Si les règles du bilinguisme sont faussées, c'est qu'une situation de diglossie s'est peu à peu installée. Définition: «On donne parfois à diglossie le sens de situation bilingue dans laquelle une des deux langues est de statut socio-économique inférieur» (*Dictionnaire de linguistique,* Librairie Larousse). On voit tout de suite que la langue, la nôtre en l'occurrence, renvoie au statut global des Québécois comme peuple, dont la diglossie n'est qu'une conséquence. Seule la politique fonde la pratique et la nécessité d'une langue sur un territoire. Tant que le Québec ne possédera pas les instruments politiques de sa culture et de son destin, la contrainte socio-économique anglophone jouera à toutes fins pratiques ce rôle de coercition et d'unilinguisme. L'anglais demeurera la langue de prestige et de pro-motion sociale, sa force d'attraction continuera de s'exercer toujours plus au détriment d'une langue québécoise dévalorisée. Exemple: «Parlez anglais — quel que soit votre niveau actuel —, seuls ceux qui sont bilingues sont certains d'acquérir les meilleures situations» (extrait d'un dépliant de l'Institut lin-guistique provincial inc.). Tout est là, en concentré: la diglossie, la contrainte, la colonisation. Le mou-vement des immigrants vient ajouter à cette attrac-tion et nous avons vu que la pression du bilinguisme prend figure d'assaut. Ce qui se passe au Québec dans le moment, ce n'est pas dans la langue québé-coise en soi, qui s'abâtardirait ou se désagrégerait, non, la langue québécoise se porte bien, merci. Ce qui se passe, c'est que le sujet parlant est aspiré. Dans ces conditions, un phénomène d'acculturation s'est développé et se propage. Le bill 63 agit comme déto-nateur un peu partout, même dans des régions québécoises à 98 %: les 25 000 petits Québécois dans les écoles anglaises en témoignent. Les gens, actuelle-ment, ne s'anglicisent donc pas, comme on pourrait le croire, petit à petit, en passant par une phase de dépérissement de leur langue, laquelle deviendrait une mixture puis finalement de l'anglais. Non, les gens passent directement du français à l'anglais, d'eux-mêmes. Voilà le plus grand danger auquel nous ayons à faire face depuis que nous existons comme peuple. Et pendant ce temps-là on se pogne entre nous; la fausse querelle du joual a parfois toutes les allures d'une opération de diversion. Le problème n'est pas entre nous, mais entre l'anglais et le français. Quand un peuple peut choisir d'être autre, il se nie en tant que peuple, et c'est que quelqu'un d'autre est sur place et à sa place. Pour ceux qui ont compris, nous sommes déjà au-delà du bilinguisme et du choc des langues. Il ne peut y avoir que lutte. La lutte des langues est une lutte à finir, et c'est la lutte de libération nationale du peuple québécois.

LE MOT JUSTE*

> Oui, ces choses ont déjà été dites, mais je les répéterai jusqu'à ce que vous les ayez comprises.
>
> VOLTAIRE

Lorsque je suis arrivé à Montréal dans les années 1947-1950, me croyant en possession naturelle de ma langue maternelle, vernaculaire, écrite, et jeune aspirant écrivain la tête pleine d'idées sur la littérature, je ne me suis aperçu de rien. C'était comme d'où je venais, comme cela avait toujours été. Tout, donc, me paraissait normal de ce que j'entendais et voyais, et de ce que je lisais dans l'environnement linguistique: «Passez sur le feu vert», «Utilisez la porte sur le côté», «Sauvez de l'argent», «Pharmacie à prix coupés», «C'est à cause que», etc. etc., et encore etc., en voulez-vous en v'là! Il allait de soi que c'était du vrai français, l'idée ne me venait même pas que cela ne pût en être. Je comprenais parfaitement tout, je savais exactement à quoi m'en tenir du message et du sens. Comme tout le monde ainsi, du curé au fidèle, du député à l'électeur, du professeur à l'élève, de l'homme d'affaires au client, je parlais ainsi.

---

* *Possibles*, vol. II, n° 3, printemps-été 1987.

Il y avait bien une morale de la langue qui se résumait en «dites, ne dites pas», et qu'essayait de proposer un certain abbé Blanchard dont j'avais entendu vaguement parler à l'école. Je ne me sentais pas concerné, car dans mon esprit, c'est curieux, ça ne visait que les mots anglais. Il y avait aussi une Société du Bon Parler Français, d'un monsieur Paul Massé, si j'ai bonne souvenance, qui tenait des réunions dans le beau et fin monde. Là encore, je n'y prêtais guère attention. Dans les milieux dits évolués, on raillait ces organismes et on traitait ces gens de puristes. Quant à moi, sans examen, je les jugeais plutôt élitistes. Enfin, plus nombreux, plus remuants, il y avait ceux qui défendaient le français, les positions du français, voire du bilinguisme, dans l'ensemble canadien, nos chefs de file, quoi! Pour des raisons patriotiques et politiques, j'étais plus sensible à leur discours, bien que je fusse troublé parfois par les arguments de cercles libéraux qui le tenaient pour obscurantiste, nationaleux. Voici quelques années, chez un libraire qui fait dans le livre ancien, j'ai trouvé ce fameux *Dictionnaire du bon langage* par l'abbé Étienne Blanchard; aussi *Le ramage de mon pays* par Victor Barbeau. Avec le recul du temps, je suis plus indulgent pour le premier, et assez admiratif pour le second, pour son travail descriptif du «français tel qu'on le parle au Canada». Je suis bien content de posséder ces deux ouvrages, j'en fais maintes fois mon profit. Cependant l'ensemble des travaux de ce genre ne portent que sur les effets, presque jamais sur les causes.

Dans ma pratique de l'écrit, j'éprouvais toutes sortes de difficultés de vocabulaire, de syntaxe, de sémantique, mais je les attribuais à des carences personnelles. Toutefois, de peine et misère, je finissais par m'en sortir passablement. Ma mère, qui n'avait complété qu'une troisième année élémentaire, me disait souvent: «Comment ça se fait que tu parles si mal et que tu écrives si bien.» Non, je n'écrivais pas bien, dans la mesure où je me sentais mal, où je ressentais un malaise continuel à l'égard du langage. Ce qui faisait illusion c'est que la langue de mes poèmes d'apprentissage était tout à fait livresque. Quand, vers 1952, je me mis en tête de me situer et de parler de ma réalité entière, de dire ce que j'avais à dire, moi, et de ma façon, je bloquai. Il m'arrivera par la suite, au fur et à mesure de ma prise de conscience linguistique, de connaître de longues périodes de paralysie. Je me rendais confusément compte que cette difficulté dans mon rapport avec la réalité, avec le langage que tous avaient en bouche, ne m'était pas qu'individuelle. Je ne savais encore dire pourquoi.

En fait, à cette époque, j'étais un monsieur Jourdain de l'aliénation linguistique, je la parlais sans le savoir. Personne n'en mourait, mais tous étaient atteints à des degrés divers. Cette aliénation je ne pouvais la dire puisqu'elle était alors le seul langage que je connaissais. Aujourd'hui encore, je fonctionne à merveille dans ce système. Dernièrement, au restaurant, un ami étranger, non pas français mais qui sait le français, me demande ce que vient de dire la serveuse: «Z-en voulez-vous d'autre du buffet?» Je lui en ai donné la signification sans même y penser. C'est qu'il y a un code de l'aliénation linguistique. On peut prendre conscience de celle-ci de l'intérieur, ou de l'extérieur, et la démonter, soit! Je suis né dans cette aliénation-là (ce n'est pas la seule), très profondément et gravement, j'y ai vécu mon enfance, ma jeunesse. Elle est toujours présente dans ses automatismes inconscients. Plus que toute autre sorte d'aliénation, je pourrais en dire ce qu'Angelo Rinaldi fait remarquer de la pauvreté: «Elle sépare à jamais de ceux qui ne l'ont pas subie, quelle qu'en soit la suite.»

Aliénation: traduction de *Entfremdung*, Hegel: dépossession. Ne plus s'appartenir. Devenir étranger à soi-même. En ces années auxquelles je fais allusion, je ne savais plus reconnaître dans les signes de ma langue la présence incrustée, voilée ou éclatante, d'une autre langue: ses calques, ses syntagmes, sa sémantique. Tout au plus avais-je l'esprit prévenu contre l'emploi de mots anglais, surtout contre les anglicismes à propos desquels on m'avait rebattu les oreilles. Malgré cette prévention, je ne m'apercevais pas que ma parole et mes textes en étaient truffés. Il était relativement facile de contenir le lexique anglais par la substitution de mots français ou le travestissement de la graphie anglaise, comme l'ont fait nos ancêtres (J'reste dans le Castor, au lieu de Doncaster. D'après Grignon) et comme l'a fait *Parti pris* dans les années soixante pour marquer la distance, pour signifier la différence. À l'ère des médias, il est plus difficile de parer à l'anglais dans tout son étalement et d'échapper à l'aliénation dont je parle.

Comment ai-je pris conscience de cette aliénation? En 1955, je commençais à lire des ouvrages sur la décolonisation qui soufflait dans le monde, mais je n'en retenais que les aspects impérialistes. Je n'étais pas sans souffrir de notre pauvreté de langue, qui n'a rien à voir avec le fait de bien ou mal parler. Par exemple, dans la fonction de nommer, dans la capacité de s'exprimer avec aisance, de penser juste les problèmes. Je mettais ça au compte de causes sociales: milieux défavorisés, abandon scolaire, travail en milieux anglais... Mais il y avait d'autres causes, je le sentais, que je n'identifiais pas, parce qu'elles découlaient d'une situation globale, et que je n'avais pas une claire vue de celle-ci. Et cela m'est venu d'un coup, lors d'un bouchon sur l'autoroute des Laurentides. Mon regard avait tout loisir de se promener, insouciant, sur les panneaux publicitaires et routiers. «Avec saveur sans aucun doute», «*Go on the green*/ Partez au vert», «Ne dépassez pas quand arrêté», «Hommes au travail»... Je fus saisi d'un sentiment intense d'étrangeté. Je demandai à mon compagnon de route s'il trouvait que quelque chose clochait dans toutes ces inscriptions. Il me répondit que non, que tout était correct. Je fus plongé dans une solitude à mort, me demandant si je n'étais pas fou, tandis que tout se bousculait dans ma tête, tout s'éclairait comme dans une révélation, presque tout ce que je voyais était de l'anglais en français, ou du genre traduidu, comme j'appellerai cela plus tard. Rentré à Montréal, un tel état de choses me sautait aux yeux de partout: «*In use*/En usage», «Demandez nos pamphlets», «Avancez en arrière», «Prévenez les maladies lourdes»… J'écoutais des conversations et les oreilles me tournaient en choux-fleurs. Bien sûr, cela faisait sens, mais sens aliéné, ça voulait dire autre chose et pas ce qu'on voulait que ça dise. Une large part de la langue institutionnelle, sociale, du travail et des loisirs tombait sous le coup de ce volet de notre aliénation linguistique (l'autre volet concerne la maîtrise de la langue, et provient des disparités de classes, de milieux sociaux et culturels; il existe dans toute langue). Seule la langue intime était assez épargnée. On me disait que je coupais les cheveux en quatre. De ne pas m'en faire avec ça. Qu'après tout ce qui compte c'est qu'on se comprenne entre nous. En effet, ce type d'aliénation a toutes les apparences du fonctionnel: il convient à la fonction de communication (entre nous!). Mais la langue, c'est plus que cela lorsqu'il s'agit de création littéraire, lorsqu'il s'agit de s'écrire dans l'universel.

Ce constat d'aliénation de ma langue chez moi eut l'effet d'un choc. Je m'expliquais ma langue approximative, parlée et écrite. J'utilisais la dérision: quelle langue parlez-vous, Monsieur? Je parle l'approximatif, je parle l'à-côté, je parle autre chose. Ce choc remit en question de fond en comble le rapport à ma langue tout court, puis le rapport du langage à la réalité et le rapport à mon travail poétique. Désinvestir ma langue de la langue de l'autre, redonner aux mots le sens de la tribu: je devins un obsédé, je le suis toujours, du mot juste et jusqu'au bout, de la précision absolue du mot, de la propriété des termes à tout prix. Non pas dans une langue figée, pure, mais dans une langue d'aujourd'hui, qui crée sa propre dynamique, qui se détermine à partir d'elle-même dans son évolution et les échanges qu'elle se choisit. J'écris avec toute l'étendue de la langue, de l'archaïsme au néologisme et à l'emprunt, dans le souci constant, maniaque de la justesse du mot, d'où qu'il vienne.

En même temps, ce choc produisit un autre effet, assez pénible à vivre. Dès ce moment, j'entrai dans une ère inguérissable de soupçon. Le doute. La doutance, qui est ma propre aliénation devenue consciente. Oui, le doute s'installa à jamais dans mon esprit, touchant tout ce qui s'appelle la langue. Je me défie de chaque mot, c'est mentalement viscéral, et cela engendre ma lenteur à écrire. Voilà six mois, à Mirabel, alors que j'étais dans une file d'attente, j'entendis, sans y faire trop attention, une voix dans le haut-parleur: «Les passagers qui viennent de Paris vous pourrez trouver vos bagages aux carrousels trois ou quatre.» Puis je lus, distraitement, sur le box du douanier: «Anglais ou français, à votre choix», et plus bas: «Attendez à la ligne blanche que l'inspecteur soit libéré.» Pendant deux minutes, pas de réaction, comme au temps de mon aliénation. Puis le doute surgit pour tout ce que je venais d'entendre et de lire. Je me retrouvais dans une situation familière, l'univers charabial et babélique du bilinguisme *canadian*. Quelque chose dans tout ça n'allait pas du tout. Dans un premier temps, je cherche ce qui ne va pas, me torture les méninges, et c'est bête, je mets toujours du temps avant de trouver. Je trouve. Dans

un deuxième temps, je reconstitue, toujours difficilement, ces formulations en un français désaliéné.
C'est fatigant. Je me demande si c'est pareil dans les
autres langues, pour un Anglais, un Suédois, un
Espagnol… Ainsi chaque jour ma tête se bat continuellement contre des affiches, des directives, des
dépliants publicitaires, des phrases que j'entends,
que sais-je, et c'est épuisant. Tout est croche à certains endroits. À la longue, on devient agressif. Ô en-
codés de tous les codes, décodez-nous! Et toi, Gouvernement qui corrige «les irritants», fais-les cesser
une fois pour toutes.

Aliénation? Par les temps qui courent, à l'heure
du confort et de l'indifférence où le vacuum de la pensée
est comblé par les médias, à l'heure où notre langue
est l'objet et le soin d'un assaut implacable: reculs
juridique, social, culturel, soutenus par des juge-
ments de la Cour suprême du Canada et des millions
de dollars dépensés en contestations devant les tribu-
naux québécois et canadiens, ce mot, *aliénation*, est
devenu tabou pour la majeure partie de nos avant-
gardes littéraires et de notre intelligentsia. Comme le
mot *identité*, le mot *indépendance*. (À Washington en
décembre dernier, lors du lancement de mon livre
The March to Love, un professeur américain m'avise:
«Je vais souvent chez vous, votre cas m'intéresse. Vous
avez un gros problème.» Lequel? demandai-je. «Un
gros problème d'identité. Il y a beaucoup d'anglais
dans votre français, n'est-ce pas?» J'avais l'air fin,
comment lui expliquer que c'est en partie chose du
passé!) Oui, mot dépassé, quasi obsolète. Situation

qui n'existe plus. Nous sommes rendus plus loin, dit-on. Eh bien, si tout ce monde le croit, bien lui en fasse. Quant à moi, qu'ils aillent tous au diable. J'aime mieux radoter et être dans la réalité que prétendument ne pas radoter et n'être pas dans la réalité. Je reste avec les laissés-pour-compte, c'est ma solidarité à moi. Effectivement, la langue d'ici n'est pas prise en charge par ceux qui sont censés la défendre et l'illustrer. La vraie richesse d'un peuple ce sont ses solidarités, on n'a qu'à regarder les peuples qui s'en sortent honorablement. Où sont les nôtres, actuellement?

Je vais au plus court. Parce que j'en aurais long à dire en ce qui a trait à la littérature. Si, dans cinquante ans, la langue n'est plus là, ou se retrouve dans une survivance folklorique, notre littérature apparaîtra comme une littérature d'archives. Est-ce bien cela que nous voulons? À voir comment réagissent nos esprits avancés en ce moment, on le dirait. Ce n'est pas mon parti.

Je suis né dans une situation de domination d'une langue par une autre, résultat et caractéristique d'une domination plus globale; dans un état de fait de bilinguisme institutionnel et social à sens unique entraînant des aberrations langagières et des ravages psychologiques; dans la présence d'un phénomène de double diglossie où l'anglais et le français de France étaient perçus comme des dialectes prestigieux par rapport au mien, tordu et dévalorisé. Tout se tient: c'est encore mon rapport avec la langue et celui-ci est en corrélation intime avec mon rapport à l'écriture. Nous avons certes fait beaucoup de chemin, d'immenses progrès. Je ne vois cependant pas, n'en déplaise à nos internationaleux, que la situation ait fondamentalement changé, parce que nous n'avons pas été jusqu'au bout. La solution est politique. Point.

DOSSIER

GASTON MIRON

Gaston Miron est né en 1928 à Sainte-Agathe-des-Monts, dans les Laurentides au nord de Montréal. Son enfance est ponctuée de fréquents séjours l'été chez ses grands-parents maternels, à Saint-Agricole, dans le canton de l'Archambault, l'une des sources de son œuvre.

Son père meurt en 1940.

Il fait des études religieuses et d'école normale chez les frères du Sacré-Cœur, à Granby, où il reçoit une formation d'instituteur, de 1941 à 1946.

Il s'installe à Montréal en 1947. Dans les années qui suivent, il occupe divers emplois, étudie les sciences sociales à l'Université de Montréal, participe activement au scoutisme de la Route et au mouvement de l'Ordre du Bon Temps qui œuvre dans les champs de la culture populaire, des loisirs et de l'animation sociale.

Dès 1949, il se mêle aux milieux de la bohème montréalaise.

En 1953, il fonde avec un groupe d'amis les Éditions de l'Hexagone, qu'il dirigera jusqu'en 1983. Il devient, à la même époque, et cela durera trente ans, travailleur dans le domaine de la librairie, de l'édition et de la diffusion du livre (chez Beauchemin, Fomac/HMH, Leméac et aux Messageries littéraires).

Son premier séjour à Paris, en 1959-1960, lui permet d'étudier les techniques de l'édition à l'école Estienne et lui donne une première occasion de se lier d'une amitié durable avec des écrivains français et étrangers.

Au fil des années, il est présent à la Foire de Francfort (1963-1968) comme agent littéraire de l'Association des éditeurs canadiens (AEC); il est aussi membre du bureau de l'AEC (1975-1978); chargé de cours d'histoire littéraire à l'École nationale de théâtre (1973-1978); écrivain résident à l'Université d'Ottawa (1971), l'Université de Sherbrooke (1972) et à l'Université de Montréal (1990); membre du collectif de la revue *Parti pris* (1964-1968); membre fondateur de la revue *Possibles* (1976); chroniqueur littéraire au *Magazine Maclean* (1964-1968).

Lié à une pratique de l'engagement, il milite tour à tour au Nouveau Parti démocratique (NPD), au Rassemblement pour l'indépendance nationale (RIN), au Parti socialiste québécois (PSQ), au Parti québécois, au Mouvement Québec français ainsi que dans divers mouvements humanitaires.

Lié à une pratique de l'animation, il organise, entre autres choses, avec Jean-Guy Pilon, la «Rencontre des poètes canadiens» à Montmorency (1957); avec Georges Dor et Claude Haeffely, «Poèmes et chansons» à la Bibliothèque nationale (1968); avec Claude Haeffely et Noël Cormier, «La Nuit de la poésie» au Gesù (1970).

À partir de 1980, il séjourne régulièrement en Europe et il est invité aux États-Unis. Il donne de nombreuses lectures de poèmes: Maison de la poésie de Paris, Beaubourg, La Rochelle, Avignon, Arles, Montpellier, Metz, Rouen, en France; Centre culturel à Rome; musée Guggenheim à New York; International Poetry Forum à Pittsburgh. Il participe également à des colloques et des rencontres internationales, et il prononce des conférences sur la littérature québécoise dans plus de trente universités étrangères.

Il a reçu plusieurs prix tout à la fois pour son œuvre poétique et son action éditoriale et d'animation culturelle. Citons le prix de la revue *Études françaises* (1970), le prix Duvernay (1978), le prix Guillaume-Apollinaire (1981), le prix Athanase-David de l'État du Québec (1983) et le prix Molson du Conseil des Arts du Canada (1985).

Il fut membre de l'Académie Mallarmé (1977), récipiendaire de la médaille de l'Académie des lettres du Québec (1990), de l'Ordre des francophones d'Amérique (1991), des insignes de Commandeur des Arts et des Lettres de la République française (1993).

Gaston Miron est décédé à Montréal le 14 décembre 1996. Le gouvernement du Québec lui fit des obsèques nationales, célébrées à Sainte-Agathe-des-Monts le 21 décembre. L'annonce de sa mort a donné lieu, tant au Québec qu'à l'étranger, à de nombreux et vibrants hommages.

L'homme rapaillé, qui affirme la liberté d'une langue, d'une culture et d'une collectivité nationales, a été, en tout ou en partie, traduit en plusieurs langues dont l'anglais, l'italien, le portugais, l'ukrainien, le polonais, le hongrois, le roumain, l'espagnol et le coréen.

BIBLIOGRAPHIE

Œuvres poétiques

Deux sangs, en collaboration avec Olivier Marchand, Montréal, l'Hexagone, 1953. Illustrations de Gilles Carle, Mathilde Ganzini et Jean-Claude Rinfret.

L'homme rapaillé, Montréal, postface de Georges-André Vachon, bibliographie et chronologie par Renée Cimon, Montréal, Presses de l'Université de Montréal, 1970.

Courtepointes, avant-propos d'Eugène Roberto, Ottawa, Presses de l'Université d'Ottawa, 1975.

Poèmes épars, édition préparée par Marie-Andrée Beaudet et Pierre Nepveu, Montréal, l'Hexagone, coll. «L'appel des mots», 2003.

Autres éditions de *L'homme rapaillé*

L'homme rapaillé, édition revue et augmentée, Paris, François Maspero, coll. «Voix», 1981.

L'homme rapaillé, édition revue et corrigée, préface de Pierre Nepveu, Montréal, Typo, 1993. Épuisée.

L'homme rapaillé, version non définitive, préface de Pierre Nepveu, Montréal, l'Hexagone, 1994. Édition semi-luxe annotée offerte à l'occasion des 40 ans de l'Hexagone et reprise en édition courante depuis 1998.

L'homme rapaillé, dernière édition revue par l'auteur et toujours considérée comme version non définitive, préface de Pierre Nepveu, Montréal, Typo, 1996.

L'homme rapaillé, version définitive, préface de Pierre Nepveu, Montréal, Typo, 1998. Rééditée en 2005.

L'homme rapaillé. Les poèmes, édition préparée et présentée par Marie-Andrée Beaudet, préface d'Édouard Glissant, Paris, Gallimard, coll. «Poésie», 1999.

AUTRES PUBLICATIONS

À bout portant. Correspondance de Gaston Miron à Claude Haeffely, 1954-1965, Montréal, Leméac, 1989.

Écrivains contemporains du Québec, anthologie, en collaboration avec Lise Gauvin, Paris, Éditions Seghers, 1989; nouvelle édition revue et augmentée, réalisée par Lise Gauvin, Montréal, l'Hexagone et Typo, 1998.

Les signes de l'identité, discours de réception au prix Athanase-David, Outremont, Éditions du Silence, 1991.

Les grands textes indépendantistes. Écrits, discours et manifestes québécois 1774-1992, anthologie, en collaboration avec Andrée Ferretti, Montréal, l'Hexagone, 1992; édition revue et corrigée, Montréal, Typo, 2004.

Le premier lecteur: chroniques du roman québécois, 1968-1994 [de Réginald Martel], choix des textes et présentation par Pierre Filion et Gaston Miron, Montréal, Leméac, 1994.

Un long chemin. Proses 1953-1996, édition préparée par Marie-Andrée Beaudet et Pierre Nepveu, Montréal, l'Hexagone, 2004.

EN TRADUCTION

La marcia all'amore. L'amore e il militante, Padoue, Rebellato, 1972. Traduction d'Angelo Bellettato. Préfaces de Luigi Baldacci et de Riccardo Scrivano.

The Agonized Life, Poems and Prose, Montréal, Torchy Wharf Press, 1980. Traduction de Marc Plourde.

L'uomo rappezzato, Rome, Bulzoni, 1981. Traduction de Sergio Zoppi. Introduction de P. A. Jannini.

Dentelle/Indented, en collaboration avec Roland Giguère, Ralph Gustafson et Douglas G. Jones, Colorado Springs, Press at Colorado College, 1982. Traduction de Ronald Sutherland.

Embers and Earth, Selected Poems, Montréal, Guernica, 1984. Traduction de Douglas G. Jones et de Marc Plourde. Introduction de Douglas G. Jones. Postface de Marc Plourde.

The March to Love, Selected Poems, Pittsburgh, International Poetry Forum, 1986. Traduction de Dennis Egan, Brenda Fleet, John Glassco, Douglas G. Jones, Marc Plourde et Louis Simpson. Réédité à Athens, Ohio, Ohio University Press, 1987, avec une introduction de Guy Gervais.

Counterpanes, Poetry, Montréal, Guernica, 1993. Traduction et introduction de Dennis Egan. Édition bilingue.

O *homem restolhado. Poemas,* São Paulo, Editora Brasiliense, 1994. Traduction et présentation de Flávio Aguiar. Édition partiellement bilingue.

El hombre redivivo, México, Universidad nacional autónoma de México, 2001. Traduction de Marco Antonio Campos et de Hernán Bravo Varela.

FILMOGRAPHIE ET DISCOGRAPHIE

La nuit de la poésie, 27 mars 1970, par Jean-Claude Labrecque et Jean-Pierre Masse. Montréal, Office national du film, 1970. Film de 111 minutes.

Gaston Miron, par Roger Frappier. Conseiller: Yves Taschereau. Montréal, Office du film du Québec, 1971. Film en 16 mm, couleur, 55 min.

Gaston Miron, Stony Brook University, Long Island, É.-U., 1978. Vidéocassette.

Profession écrivain: Gaston Miron, par Claude Godbout. Recherchiste et monteuse: Josée Beaudet. Montréal, Les Productions Prisma inc., 1983. Film de 25 min.

Gaston Miron ou l'opacité du réel, Paris, Maison de la poésie, production des services culturels de la Ville de Paris, 1984. Vidéocassette de 21 min.

La marche à l'amour, livre-cassette, choix de poèmes et inédits lus par l'auteur, Paris Éditions Artalect, coll. «Paris-Québec», 1990, 52 min.

Gaston Miron (les outils du poète), par André Gladu, Les Productions du lundi matin, Montréal, 1994. Film en 16 mm et en vidéocassette, couleur, 52 min. Diffusion Cinéma libre.

La marche à l'amour, disque compact (poèmes, musique et chansons), enregistrement du spectacle du même nom produit et réalisé par Bernard Buisson, Gaston Miron et Pierre St-Jak, Montréal, Les Productions D'Huault, 1995.

Gaston Miron. Un portrait rapaillé, par Mona Makki et Dominique Gallet, Paris, série «Écrivains francophones», document réalisé et diffusé dans le cadre du magazine télévisuel «Espace francophone», 1997. Vidéocassette, couleur, 26 min.

PRINCIPALES ÉTUDES

«Miron le magnifique», par Jacques Brault, conférence prononcée dans le cadre des «Conférences J. A. de Sève» à l'Université de Montréal, Montréal, Presses de l'Université de Montréal, 1966; repris dans *Chemin faisant*, Montréal, Boréal, coll. «Papiers collés», 1994, p. 23-55.

«Document Miron», *La Barre du jour*, n° 26, octobre 1970, 52 p.

«Miron dépaysé», par Pierre Nepveu, dans *Les mots à l'écoute*, Québec, Presses de l'Université Laval, 1979, p. 111-194; Québec, Éditions Nota bene, coll. «Visées critiques», 2002, p. 146-246.

Structures de l'imaginaire dans Courtepointes *de Miron*, par Eugène Roberto, Ottawa, Éditions de l'Université d'Ottawa, 1979, 170 p.

L'homme rapaillé de Gaston Miron, par Claude Filteau, Paris et Montréal, Bordas et Trécarré, coll. «Lecto-guides», n° 2, 1984, 128 p.

«La métrique de Gaston Miron», par Michel Lemaire, *Voix et images*, n° 45, printemps 1990, p. 396-423.

«Note provisoire sur une loquèle inachevée (*L'homme rapaillé* de Gaston Miron)», par Pierre Popovic, *Voix et images*, n° 63, printemps 1996, p. 506-517.

«Hommage à Gaston Miron», *Poésie*, n° 81, 1997, p. 25-59.

«Miron le magnifique», *L'Action nationale*, vol. 87, n° 9, 1997, p. 153-311.

«Hommage à Gaston Miron», *Liberté*, n° 233, 1997, p. 5-101.

Les adieux du Québec à Gaston Miron, Montréal, Guérin, 1997, 220 p.

«Dossier Gaston Miron», *Jungle*, n° 19, 1999, p. 97-158.

«Gaston Miron, un poète dans la cité», *Études françaises*, vol. 35, n°s 2-3, 1999.

«L'humilité de Miron», par Pierre Vadeboncoeur, dans *L'humanité improvisée*, Montréal, Bellarmin, 2000, p. 9-42.

«Poésie des deux rives (sur un poème de Gaston Miron)», par Gilles Marcotte, dans *Le lecteur de poèmes*, Montréal, Boréal, coll. «Papiers collés», 2000, p.101-114.

Miron ou la marche à l'amour, actes de colloque sous la direction de Cécile Cloutier, Michel Lord et Ben-Z. Shek, Montréal, l'Hexagone, 2002, 302 p.

Gaston Miron: le forcené magnifique, par Yannick Gasquy-Resch, Montréal, Hurtubise HMH, 2003, 149 p.

L'espace poétique de Gaston Miron, par Claude Filteau, Limoges, Presses universitaires de Limoges, coll. «Francophonies», 2005, 310 p.

RÉCEPTION CRITIQUE

«Qu'il s'agisse du pays et des luttes sociales, de l'amour partagé ou déserté, de l'histoire et du monde, de la poésie elle-même, bref quel que soit le "sujet" du poème, son sens obvié ou caché, toujours et jusque dans les détails d'écriture, la voix de Miron se caractérise et doit s'entendre comme une angoisse cernée de courage.»

JACQUES BRAULT
Europe, 1969

«Avec l'apparition de Miron, une espèce de miracle se produit. À l'intérieur d'une poésie qui n'est jamais descriptive, tout entière suspendue au désespoir et à l'espoir d'aimer, rouge-gorges, geais bleus, jaseurs des cèdres, chemins défoncés, chemins en laveuse, trilles blancs, claytonies, écorces, bouleaux commencent à pulluler, et composent un univers que tout Québécois d'aujourd'hui immédiatement reconnaît.»

GEORGES-ANDRÉ VACHON
Postface à *L'homme rapaillé*, 1970

«Poésie engagée, enfoncée dans le monde, que celle de Miron, justement parce qu'elle vient d'en dehors du monde. Et poésie française, parce qu'elle est québécoise. C'est la même audace qui amène Miron à plonger dans un au-delà infiniment éloigné des apparences du monde, et à épouser jusque dans ses ultimes conséquences poétiques, sa condition de Québécois.»

GEORGES-ANDRÉ VACHON
Le Devoir, 1970

«Gaston Miron, poète incomparable avec aucun autre dans le monde actuel.»

RENÉ LACÔTE
Les Lettres françaises, 1970

«[Miron] est aussi un très grand poète de l'amour, en français. Le plus grand sans doute depuis Éluard.»

GEORGES MOUNIN
Camarade poète, 1979

«Dépayser Miron, c'est donc aussi nous laisser dépayser par un texte qui nous dépossède de nos certitudes faciles et de ce que nous croyons être. Mais c'est en même temps retrouver un *texte*, une énonciation particulière, un agir des signifiants. *L'homme rapaillé* peut se lire comme une immense quête de la continuité ou de l'homogénéité, contre la séparation, la fissure, la disjonction.»

PIERRE NEPVEU
Les mots à l'écoute, 1979

«La poésie de Miron est politique, comme elle est amoureuse, parce qu'elle est totale, totalement poétique. Elle veut tout parce qu'elle a besoin de tout, de la nature et de la culture, d'une langue repossédée, repossédée par tous, à travers l'appropriation du territoire et du pouvoir.»

LAURENT MAILHOT
Ouvrir le livre, 1992

«Livre fragmenté et livre-somme, *L'homme rapaillé* renvoie aux angoisses de son temps par son insistance à rappeler une question identitaire toujours irrésolue, par son inachèvement même et par sa manière de se dire en constante gestation.»

LISE GAUVIN
Le Devoir, 1999

«[Miron] ne retranche pas la poésie en quelque tour d'ivoire où elle ne se préoccuperait plus que de ses seuls reflets, il ne la galvaude pas non plus en chants patriotiques: il cherche, il creuse, il s'entête, il fait bouger la langue, il s'insurge contre ce qui l'étouffe, il défend et illustre sa puissance articulatoire, il rétablit des reliefs, des écarts, des accidents et des surprises là où le nivellement menace. Il garde vivante la pensée.»

JEAN-MICHEL MAULPOIX
La Quinzaine littéraire, 1999

«La force de l'interpellation chez Miron est saisissante, de même que la profondeur où celle-ci atteint.»

PIERRE VADEBONCOEUR
L'humanité improvisée, 2000

TABLE

LA VIE AGONIQUE

L'AMOUR ET LE MILITANT

ALIÉNATION DÉLIRANTE, recours didactique

NOTES SUR LE NON-POÈME ET LE POÈME

POÈMES DE L'AMOUR EN SURSIS

J'AVANCE EN POÉSIE

SIX COURTEPOINTES

TYPO
TITRES PARUS

Ouellette-Michalska, Madeleine
  L'échappée des discours
    de l'œil (E)
  L'été de l'île de Grâce (R)
  La femme de sable (N)
  Le plat de lentilles (R)
Ouimet, André
  Journal de prison d'un Fils
    de la Liberté (E)
Patry, André
  Le Québec dans le monde
    (1960-1980) (E)
Perrault, Pierre
  Au cœur de la rose (T)
Pilon, Jean-Guy
  Comme eau retenue (P)
Rioux, Marcel
  La question du Québec (E)
Roy, André
  L'accélérateur d'intensité (P)
Saint-Martin, Fernande
  La littérature et le non-verbal (E)
Soucy, Jean-Yves
  L'étranger au ballon rouge (C)
  Un dieu chasseur (R)
Théoret, France
  Bloody Mary (P)
Thérien, Gilles (dir.)
  Figures de l'Indien (E)

Thoreau, Henry David
  La désobéissance civile (E)
Tocqueville, Alexis de
  Regards sur le Bas-Canada (E)
Tremblay, Jean-Alain
  La nuit des Perséides (R)
Trudel, Sylvain
  Le Souffle de l'harmattan (R)
  Terre du roi Christian (R)
Union des écrivains québécois
  Montréal des écrivains (N)
Vadeboncœur, Pierre
  Les deux royaumes (E)
  Gouverner ou disparaître (E)
Vallières, Pierre
  Nègres blancs d'Amérique (E)
Viau, Roger
  Au milieu, la montagne (R)
Villemaire, Yolande
  La constellation du Cygne (R)
  Meurtres à blanc (R)
  La vie en prose (R)
Warren, Louise
  Bleu de Delft.
    Archives de solitude (E)
  Une collection de lumières (P)

(C) : contes ; (D) : dictionnaire ; (E) : essai (N) : nouvelles ; (P) : poésie ;
(R) roman ; (T) : théâtre

Cet ouvrage composé en Times corps 10 a été achevé d'imprimer au Québec
en septembre deux mille quinze sur papier Enviro 100% recyclé
sur les presses de Marquis Imprimeur
pour le compte des Éditions Typo.